Ma Victoire

Directeur de la Collection populaire: Pierre Nadeau

Photo de la couverture: Thierry OM Debeur
Maquette de la couverture: Le Graphicien inc.

LES ÉDITIONS QUEBECOR
Une division du Groupe Quebecor Inc.
225 est, rue Roy
Montréal, H2W 2N6
Tél.: (514) 282-9600

Distributeur exclusif
AGENCE DE DISTRIBUTION POPULAIRE INC.
955, rue Amherst
Montréal, H2L 3K4
Tél.: (514) 523-1182

ÉLIZABETH CLÉMENT

Ma Victoire

Le cancer, ce n'est pas toujours la fin du monde

EDITIONS

Quebecor

*Je voudrais bien que les gens se rendent compte
que tout est possible.
Les rêves se réalisent
si on essaie.*

Terry Fox

PRÉFACE

Lorsque j'ai rencontré Élizabeth pour la première fois, elle était venue chez moi me présenter la fameuse chanson, *Toi, le poète*. Presque instantanément, sur le plan de la sensibilité, nous avons communiqué. Élizabeth est le genre de femme qui te donne envie de te raconter.

À partir de ce jour, elle m'apporta des textes, des chansons. J'allais chez elle ou elle venait chez moi. Nous avons composé ensemble: *Il s'appelle l'amour, Rien ne peut m'arrêter, L'Amour nous fait danser*, dont elle a écrit les textes.

J'aime m'attacher à des gens uniques, et Élizabeth est unique. On ne passe pas au travers d'une épreuve comme celle qu'elle a connue sans être de ces personnages qui ont du caractère.

Je me rappelle qu'elle disait, lorsque je suis allée à l'hôpital: «Tu sais, Ginette, je vais passer au travers.» Il y avait même dans sa voix cette espèce de conviction qui semblait s'adresser à elle-même beaucoup plus qu'à moi.

On dit souvent que, dans la vie, les épreuves nous grandissent. Eh bien, j'ai vu cette femme se transformer.

Nous avons tous reçu la vie en héritage, mais toi, Élizabeth, tu en es à ton deuxième souffle.

Dieu merci!

Ginette Reno

INTRODUCTION

Je n'ai aucune affinité avec Marie Curie ou la Femme bionique. Mon arbre généalogique ne se greffe nulle part à celui de la princesse de Galles ou de Marie-Antoinette. Une femme ordinaire comme tant d'autres, voilà qui je suis. J'ai connu une vie en dents de scie (parfois, c'était des grosses dents de «godendard»...), mi-joies, mi-peines, jusqu'à ce que ma santé flanche sous l'impact du cancer.

Si je vous affirme que cette expérience malheureuse m'a beaucoup apporté, croirez-vous que j'ai des boulons branlants entre les deux oreilles? J'en suis pourtant sortie heureuse et, j'oserais dire, grandie. (Non, pas physiquement! Je fais toujours un mètre soixante...)

Le mot «cancer» est un mot atroce qu'on associe automatiquement à la souffrance et à la mort, et il me fait encore peur. Si cette maladie est souvent terminale, ce n'est quand même pas toujours la fin du monde, grâce à la prévention et à la compétence des médecins spécialisés.

Terry Fox nous a laissé un gigantesque exemple de courage et d'espoir. Beaucoup plus humblement, j'ai voulu ouvrir mon coeur et ma plume fontaine (je fais dans le vieux style...) pour tâcher de faire naître une lueur d'espérance chez les malades présents et futurs et chez leur entourage.

N'allez pas croire que j'en suis à écrire mes Mémoires! Je suis beaucoup trop jeune (!) pour ça! Tout au plus, je vous raconte mon monde à moi, ma jeunesse bourrée de complexes qui me semblaient infranchissables, ma bifurcation vers le monde artistique, ma famille particulière, ma façon de penser et de réagir selon les événements et surtout face au cancer.

Première partie

Mon monde à moi

CHAPITRE PREMIER

Quand j'ai évolué dans le milieu artistique, sous le nom de Pascale, on me forçait à entourer ma personne du mystère le plus opaque possible. Aujourd'hui, je suis une femme qui étale sa vie sous toutes ses coutures... ou presque. Le but visé n'est plus le même. Je ne vous promets pas de révéler ma marque préférée de pâte dentifrice, mais enfin...

Le matin du 29 avril 1936 (ce que vous êtes rapides! vous avez déjà fait le compte!), vers dix heures, une grosse fille de quatre kilos et demi poussait ses premières vocalises: moi! J'étais la troisième d'une famille de cinq enfants. Mes aînés: Charles et Gabriel; mes cadets: Madeleine et Viateur.

Ma mère, Cécile Valois, était une blonde au teint clair, et son arbre généalogique portait le trèfle irlandais au niveau de Philomène, mon arrière-grand-mère, que j'ai connue puisqu'elle est décédée à l'âge de quatre-vingt-dix-neuf ans. Cécile, c'était le pilier de la famille, la femme forte qui a déployé toutes ses énergies au bien-être et à l'éducation de ses enfants. Presque tous les membres de la famille Valois qui sont rendus dans l'autre monde ont été emportés par le cancer. On dit pourtant que ce n'est pas héréditaire. Pendant des années, mon grand-père Arsène a été le maire de Saint-Barthélémy, où je suis née, et son frère Arthur, en tant que maître chantre, dirigeait à l'église une chorale parfois composée entièrement de membres de la famille. La musique avait une place de choix chez les Valois.

Charles, mon père, nous a quittés en mai 1981. C'était un homme calme, acharné au travail. Humble, il n'a jamais attiré l'attention sur lui. Il possédait toutefois une fantaisie particulière, je dirais: un tempérament d'artiste sans en être un. Toute la famille Clément avait le teint basané et des cheveux d'ébène, d'où la tentation de supposer que chez les ancêtres il y avait eu de l'Indien dans l'air... Je n'ai jamais su exactement, ce qui n'a pas empêché Pascale d'exploiter l'image colorée de la race indienne. Ça me plaisait beaucoup, d'ailleurs. Du côté de papa, c'est le diabète qui fait des siennes, emportant à coups de complications les membres de la famille, qui se rendent quand même à un âge avancé.

Ma soeur et mes frères sont nés blonds au teint rosé, comme ma mère. J'ai toujours été la «petite noire». (Moins maintenant, il n'y a pas que mon coiffeur qui le sache...) Tirant des conclusions logiques et probables, je me suis toujours dit qu'il me faudrait un jour me battre avec le diabète. Ou encore, ayant fait une première jaunisse à cinq ans et une deuxième à vingt ans, j'imaginais mon foie bilieux à l'extrême, finissant par me donner une jambette magistrale. Contre toutes mes prédictions, j'ai été la première des cinq enfants à tomber gravement malade, de cette maladie que je redoutais pour les quatre blonds. Les gènes sont vraiment sans gêne!

Dans ma petite enfance, du vent dans les voiles, j'en avais à revendre! Mon père disait affectueusement que je

«poussais carrée», et maman m'appelait sa «grosse tannante». C'est vous dire! De plus, j'étais dévorée par la soif
d'apprendre (soif intarissable s'il en fut une, car j'ai toujours la gorge intellectuelle en crise de sécheresse...). À
trois ans, ma mère m'initiait à l'alphabet et aux chiffres.
Deux ans plus tard, je me payais une fugue pour aller
m'installer sur les bancs de l'école de l'Épiphanie, où nous
avions déménagé. Nous étions en temps de guerre et mon
père travaillait alors dans les munitions à Saint-Paul-
l'Ermite. Comme j'étais résistante, costaude, et que je
pleurais pour suivre mes frères à l'école, on m'inscrivit au
pensionnat du village, qui n'était pas exactement l'institution où j'étais allée prendre place furtivement. J'allais
faire ma première année, même si j'étais mûre pour la
deuxième, afin d'éviter un écart d'âge difficile avec mes
compagnes.

De cette première année scolaire, je garde quelques
souvenirs très précis que je n'ai pas l'intention de vous
égrener comme un chapelet. Je vous en citerai pourtant
deux qui sont restés au premier plan dans ma mémoire.
D'abord, l'arrachage des dents de lait par notre religieuse
enseignante. J'avais peur! Quand la soeur Roméo-du-
Carmel (devenue, dans mon langage si candide, la soeur
Roméo-du-Caramel...) se rendait compte qu'une de nos
petites dents branlait à tous les vents, elle tirait près de
son pupitre une chaise de bois qui me semblait énorme et,
armée d'un mouchoir (propre, j'espère!), elle retirait la
petite valseuse de sa gencive natale. Il m'est arrivé de me
priver de sourire afin qu'elle ne sache pas qu'une de mes
incisives risquait de rester sous peu plantée dans une
pomme.

Il y eut aussi mon apparition angélique lors de la
Fête-Dieu. (Plusieurs filles de ma génération ont joué ce
rôle.) Vêtue d'une longue robe jaune parsemée d'étoiles

d'or et arborant deux belles ailes emplumées, j'avais été transformée en chérubin dans la plus pure tradition. C'était ma première procession, et pourtant, juchée sur l'autel à quelques centimètres du reposoir, je n'en ai rien vu! La consigne était de garder une immobilité parfaite, des cheveux aux orteils. Malgré la tentation diabolique d'admirer le grand déploiement à chandelles et à encensoirs entourant le Jésus en promenade, j'ai passé toute la cérémonie à fixer un coin de la bâtisse située de l'autre côté de la rue. J'avais pris mon rôle au sérieux et la désobéissance eût été de très mauvais goût dans les circonstances. On est un ange ou on ne l'est pas!

Madeleine était de quatre ans ma cadette. Chez les enfants, c'est un écart important et elle n'était pour moi qu'un bébé incapable de se joindre à ma turbulence. Bien sûr, nous avons joué à la mère ensemble, mais j'avais plus de plaisir à partager les jeux plus animés de mes frères aînés, et ces activités laissaient invariablement des traces sur mon anatomie. J'avais les coudes et les genoux parsemés de plaques rougeâtres qui ne guérissaient que pour faire place aux suivantes. Désespoir de maman! Comment une petite fille peut-elle avoir l'air propre, même en portant une robe coquette et un joli noeud de ruban dans les cheveux, si les membres qui dépassent de la robe viennent gâcher la vue d'ensemble! Nous, les filles, nous n'avions pas de bicyclette, mais les garçons en avaient et me payaient des randonnées sur la «barre». Et vlan! Dans la gravelle! Ils allaient en expédition sur un barrage chevauchant la rivière l'Assomption? Je me collais à leurs pas, quitte à me rompre les membres, me trouvant parfois en équilibre précaire sur cette étroite route de ciment clôturée d'un côté par l'eau et de l'autre côté par le vide. L'hiver, ils glissaient sur la «croûte», assis sur des cartons? Qu'à cela ne tienne! Je m'exécutais aussi, et encore vlan!

Atterrissage forcé, la tête coincée dans les broches de la clôture du voisin!

Enfance en coups de vent, mais temps heureux si j'omets le fait que les garçons avaient des privilèges inaccessibles aux filles. Les articles de sport ne faisaient pas partie de la panoplie des fillettes, qui, selon la coutume, se devaient d'être parfaitement heureuses au milieu de leurs poupées et de leurs petits services de vaisselle. Les sports m'attiraient beaucoup, et mon idole, la star de mes rêves, était la championne de patinage artistique Barbara Ann Scott. Ne pouvant évoluer comme elle chaussée d'une paire de lames, je me contentais de colorier ses costumes dans mes cahiers à dessin. Mes goûts personnels étaient brimés et, sans le savoir, j'étais déjà féministe.

Très tôt, la chanson a aussi exercé sur moi un envoûtement très particulier. Quel délice d'entendre Tino Rossi chanter *Marinella* à la radio! L'oreille collée à l'appareil, j'imaginais le monde du spectacle comme irréel, féerique, impalpable et extrêmement beau. Disons que peu à peu, j'ai raturé de mon esprit les mots «féerique», «extrêmement» et «irréel», mais le métier de la chanson reste pour moi le plus beau du monde.

Comme toute famille aux moyens financiers restreints, nous n'étions pas des enfants gavés de jouets. Outre ma poupée Julienne, dont je m'occupais de la garde-robe et des soins propres aux bébés, je faisais dans le bricolage. Je dessinais des poupées de papier, munies d'une patte de derrière pour qu'elles puissent tenir debout, et, sur la table de la cuisine, j'inventais des spectacles à grand déploiement, dont j'étais à la fois le scénariste, le metteur en scène et le bruiteur. Je me rends compte aujourd'hui que, par la force des choses, j'ai eu la chance de développer des talents créateurs et artistiques, ce qui, bien souvent, n'est pas le cas des enfants d'aujourd'hui, qui ont tout cuit dans le bec.

J'avais quatre ans quand un harmonium (venu Dieu sait d'où) a pris place dans notre foyer. La musique s'installait dans ma vie en pompes nasillardes! Je pédalais au même rythme que se tendaient les nerfs de mes parents! Je découvrais, émerveillée, les notes qui reproduisaient mes comptines d'enfant. Quelle joie et quel martyre pour mon entourage, car j'y consacrais des heures! On me claquait la porte du salon au nez en me traitant d'ennuyante, mais rien ne pouvait me détacher du clavier et des pédales! Plus tard, l'harmonium a fait place à un piano, j'ai suivi des cours et j'ai continué à remplir régulièrement la maison d'accords que je voulais mélodieux. La porte du salon claquait toujours...

Mon enfance ressemble à celle de bien du monde, et je n'ai pas l'intention de couper les détails en menus morceaux. Je me tairai sur mes sauts acrobatiques, que ce soit en bas d'un taxi en marche (dont la porte s'était malencontreusement ouverte) ou dans le fond de la cave familiale (la trappe se trouvait placée dans la salle de bains, juste derrière la porte, et il a suffi que mon père soit descendu vérifier sa provision de patates et que je sois trop pressée de satisfaire un besoin naturel pour que je me retrouve à plat ventre sur la terre battue). Taisons aussi ma passion pour les animaux vertébrés (j'ai horreur des vers de terre...) et la séduction particulière qu'exerçaient sur moi les chats. (L'un de mes chatons à moi toute seule avait été surnommé «Couteau» à cause de sa forme extrêmement svelte. Il paraît que je l'empêchais d'engraisser, mais il a eu le privilège de passer sa vie dans mes bras.) Oublions aussi mes exploits sportifs... sauf une petite anecdote qui me fait rigoler quand elle me revient en mémoire.

Maman s'occupait presque exclusivement de notre éducation et elle possédait ce qu'on appelle une main de fer dans un gant de velours. Profitant un jour de son absence, j'ai demandé à mon père la permission de me rendre à la patinoire de l'école, où les garçons et les filles évoluaient en ce beau dimanche après-midi. Maman ne m'y autorisait pas, mais papa n'y vit pas d'inconvénient. Folle de ma permission spéciale, je faisais face à un problème majeur: l'absence de l'équipement qui permet de glisser sur des lames. J'ai donc pressé le bouton déclencheur du système «D» (débrouille-toi!), et voici la description de la fillette qui a passé un merveilleux après-midi, à moitié sur les bottines, à moitié sur les fesses. Elle portait un «makina» kaki rigide (stock de l'armée) avec capuchon assorti, une jupe de crêpe plissée de couleur turquoise, longueur en bas des genoux, une longue paire de bas blancs et, pour compléter ce tableau de rêve, les vieux patins de son frère Gabriel. Je devais être d'un ridicule achevé!

Mon enfance se découpait en dents de scie et il a sûrement fallu beaucoup de poigne et de patience à ma mère pour venir à bout de contrôler mes énergies. Le vent soufflait fort dans ma mâture mais le navire filait souvent dans une direction contraire à ses propres aspirations. Je me disais que plus tard je laisserais à mes enfants la chance de s'épanouir selon leur personnalité. Chacun possède un trésor de potentiel et il n'est que normal que la nature de celui-ci varie d'une personne à l'autre.

Chose certaine, sans que je le sache, les grandes lignes de ma vie étaient déjà tracées: la maternité (que je désirais plus que tout au monde), la musique, les arts, le sport, l'artisanat, un amour profond de la nature, autant de fleurs greffées sur la tige du féminisme.

CHAPITRE II

En 1944, ma famille s'installait à Joliette et je passais aux dents de «godendard»... Mes études suivaient une direction ascendante, ma personnalité allait en sens inverse.

Nos parents se saignaient à blanc pour nous procurer la meilleure instruction et la meilleure éducation possibles. Pour Madeleine et moi, c'était par le pensionnat des Mères de la Congrégation et le cours de lettres et sciences. J'y ai reçu un enseignement de qualité, mais au prix de quel traumatisme personnel! Cette institution était fréquentée par des filles issues de familles aisées, ce qui n'était pas notre cas. Les enfants sont souvent cruels entre eux, et même si je réussissais fort bien mes études, j'étais sujette aux risées plus souvent qu'à mon tour parce que je n'étais pas habillée à la fine pointe de la mode ou que mes vêtements étaient usés. Certaines religieuses manquaient elles-mêmes à la plus élémentaire charité dont elles sont censées donner l'exemple. Combien de fois la Mère Saint-Gildas m'a-t-elle fait lever debout devant toutes les pensionnaires pour me reprocher de porter un blazer qui me servait à camoufler une robe de costume élimée! Elle n'a jamais su à quel point elle me faisait mal. Les filles causaient de cinéma, de chalet d'été, de flirts, et j'en étais toujours au bricolage et aux claquements de la porte du salon. Mon cercle d'amies était nettement inexistant, et la timidité, le manque de confiance en moi déployaient leurs tentacules de façon précise. Je me sentais laide, insignifiante, mal fagotée, digne d'aucun intérêt, de trop partout, bref, mal dans ma peau.

Pendant ma première année en L.S., un concours littéraire fut organisé. Chaque classe devait exploiter un thème particulier sous forme de dissertation. La meilleure copie devait être lue par l'auteur devant toutes les personnes du pensionnat, plus quelques célébrités en soutane. Pour nous, la phrase profonde fut: «Mère Bourgeoys, ô vous qui faisiez de la tire!»

Une fois le travail accompli, la Supérieure est venue choisir le texte jugé le meilleur: Élizabeth Clément! Panique à bord! Égorgée par la timidité, je suppliais le bon Dieu de me faire tomber malade le jour du grand déploiement littéraire. Le ciel m'eût-il entendue? La Supérieure décida que nous avions mal interprété la phrase clé. Il fallait la traiter au sens figuré et non au sens propre. Sauvée! Ma gorge a pris du mou et nous avons réécrit. Devinez qui a dû lire sa dissertation, seconde édition, devant toutes les personnes du pensionnat, plus quelques célébrités en soutane? Élizabeth Clément! Je ne suis pas tombée malade pour l'occasion et je me suis contentée de bafouiller sur et entre les mots... J'étais très loin du jour où j'apprécierais la qualité de mes études!

À cette époque, la religion pesait très lourd dans notre vie. Mes parents étaient profondément croyants et notre vie de famille se basait souvent sur les conseils du frère de ma mère: Mgr Omer Valois. Ces principes religieux étant amplifiés et soutenus par nos enseignantes, je n'ai jamais eu l'occasion de sortir du droit chemin (je vous parle toujours de ma jeunesse...). Une des religieuses nous avait même dit, un jour, que le seul fait de donner la main à un garçon pouvait provoquer chez lui de mauvaises pensées. Docile comme je l'étais, je n'étais pas approchable!

Je trouve dommage le fait que nous devions tous suivre la religion sans essayer de comprendre. Il fallait croire les yeux fermés et ne pas se poser de questions. Je suis toujours croyante mais j'ai changé d'optique. J'ai humanisé ma foi.

Mes vacances estivales se passaient chez certains membres de la parenté. J'imagine que maman se reposait de sa «grosse tannante» pendant une quinzaine en distribuant ma présence à différents endroits.

Il y avait d'abord mes grands-parents Valois, qui vivaient seuls sur une ferme. Du jour au lendemain, je devenais fermière moi-même. Levée avec le soleil, j'allais chercher les vaches qui mastiquaient au fond de leur champ, «levais» les oeufs et nourrissais les volailles et les cochons. Avez-vous déjà remarqué comme les cochons ont de beaux yeux...? Bleus avec de longs cils blonds, sans éclair de génie toutefois! C'est du moins l'une des constatations que j'ai faites en les côtoyant de près; et les cochonnets sont si mignons! Mon admiration pour le cochon s'est éteinte quand l'un deux, piqué par je ne sais quelle mouche, partit à ma poursuite en criant comme si on l'égorgeait, m'obligeant à me réfugier dans une brouette, le temps de laisser passer sa crise de nerfs. J'en suis revenue à la conclusion que le chat faisait un meilleur animal de compagnie.

Chez mon oncle Arthur, mon parrain et le frère de papa, c'était la fête! Comme mes grands-parents, il était fermier à Saint-Barthélémy, et ma tante Annette était une marraine-gâteau qui nous gavait de friandises dont je n'avais pas l'habitude. Ma cousine Henriette et moi écoulions nos heures creuses en barbotant dans la petite rivière qui courait sur les galets. Il y a quelques années, je suis retournée au rang de Saint-Joachim pour tenter d'y retrouver un coin d'enfance. J'y ai découvert un site parfaitement inconnu. Le feu a détruit la vieille maison, le chemin a été modernisé, le terrain aplani, et le seul panorama offert était une piscine publique et un terrain de maisons mobiles. La plate-bande fleurie de ma grand-mère Clément et la petite chute du vieux moulin à scie voisin sont à jamais disparues comme la bohème d'Aznavour...

Certains étés, je passais des vacances de citadine chez ma tante Germaine, la soeur de maman. À ses côtés, j'ai découvert plusieurs villes dont Trois-Rivières, Québec et Nicolet, où elle demeurait quand le désastreux éboulis a fait disparaître plusieurs édifices et englouti des vies humaines. Germaine a presque été une grande soeur pour moi et nous sommes encore de grandes copines. Mon oncle Gérald, son mari, avait un côté taquin qui ne me froissait pas parce qu'il était enrobé d'une grosse couche d'affection. J'entends parler encore aujourd'hui d'un certain canard violet... Vers l'âge de cinq ans, je trimais dur dans mon cahier à colorier et je me suis enquise de la couleur à donner à un canard. Mon oncle m'a conseillé le violet, et, trouvant sans doute le conseil judicieux, je l'ai suivi... Oui, on m'en parle encore!

Avec mes seize ans, j'ai fêté la fin de mes études. Pour donner suite aux cours en lettres et sciences, il fallait s'exiler à Montréal et nos moyens ne le permettaient pas. Peu de filles poussaient plus loin leur instruction, d'ailleurs, puisqu'en principe, nous étions destinées à devenir maî-

26

tresses de maison. Pour certains autres cours disponibles à Joliette, j'étais trop jeune ou non intéressée.

Le journal *L'Action populaire*, dirigé par mon oncle Mgr Valois, m'a alors ouvert ses portes. J'y ai fait un peu de tout: vente de faire-part, perception des factures, perçage de trous dans les livrets de coupons des laitiers, correction d'épreuves, encartage des sections du journal (ça se faisait à la main), pliage, collage, etc. Ce qui me donna sans doute le plus de satisfaction personnelle fut la rédaction du «Billet de la semaine». Depuis des années, mon oncle occupait cet espace du journal, espace qu'il m'a cédé une semaine sur deux. Mes écrits étaient destinés aux jeunes, et, pleine d'astuce (!), j'avais décidé de signer: C. Moy... Je me méritais un magnifique salaire de $17 par semaine et ma première grosse dépense fut l'achat d'une paire de patins de fantaisie Daoust, à double pointe, s.v.p. Un de mes rêves d'enfance venait de se réaliser.

Le regretté M. René Martin dirigeait à cette époque une chorale de jeunes filles, les Voix du Printemps, et la timide contralto que j'étais est venue s'y joindre. De M. Martin, je garde un souvenir très cher. Son dévouement était sans bornes, et par son flair, ses connaissances musicales, sa gentillesse, il a su faire éclore plus d'un talent joliettain. Sans lui, je ne serais jamais devenue chanteuse professionnelle.

Pour une mordue de la chanson fondante de gêne, la chorale, c'est idéal jusqu'au moment où le directeur s'avise de la faire chanter en solo. Une phrase à chanter, ce n'est pas la mer à faire hurler, mais c'est la gorge serrée, la mémoire en panne et le souffle coupé que j'ai laissé sortir une ligne de *Mon merle a perdu son bec*. Je ne pouvais quand même pas implorer le ciel de me faire tomber malade à chaque fois que la panique s'emparait de moi! Je ne serais jamais sortie de mon lit!

Plus tard, les Voix du Printemps se sont muées en chorale mixte regroupant plus de cent personnes, et mon rôle de soliste m'apportait de plus en plus de joie et de moins en moins de cauchemars.

Même après le départ subit de son fondateur, les Chanteurs de la Place Bourget continuèrent l'oeuvre si bien amorcée. Le Père Lindsay en est maintenant le directeur, et il y a deux ans, lors du 25e anniversaire de la chorale, je suis allée prendre avec eux un exquis bain de jeunesse.

L'une de mes amies (j'avais réussi à m'en faire deux ou trois), Paulette Rondeau, après m'avoir entraînée dans la chorale, m'entraîna par la main et les sentiments dans une couple d'autres aventures plus ou moins périlleuses... Ce fut d'abord les Rambouillets, troupe de théâtre amateur. Si certaines d'entre nous avaient un certain talent, personnellement j'étais pourrie! Un comédien doit s'impliquer, s'ouvrir, ne faire qu'un avec le personnage. Fermée comme une huître, j'en étais incapable. Il me restait à jouer faux, à charger à outrance pour cacher mon désarroi, si bien qu'un rôle sérieux devenait automatiquement loufoque. La troupe n'a pas fait long feu. Malgré l'encouragement de nos parents et amis, je peux vous affirmer que des chaises, ça n'applaudit pas fort et ça engraisse mal la caisse.

Autre aventure avec Paulette: une émission radiophonique de quinze minutes, trois fois par semaine, sur les ondes de CJLM, Joliette. Nous étions *Sur les Ailes de la Chanson*. Sa jolie voix de soprano se mariait bien avec mon timbre grave; elle tenait le bastion de l'opérette, moi de la chanson populaire. Il fallait s'organiser avec les moyens du bord; aussi, je m'occupais de l'accompagnement au piano et des textes de présentation. Nos résultats artistiques étaient plus ou moins heureux mais nous avions le feu sacré. Sans aucune rémunération, nous avons chanté pendant environ deux ans, uniquement soutenues par les ailes de la chanson... En studio, nous voyions fréquemment arriver un jeune étudiant, ses livres sous le bras. Attiré par le micro, il en était lui aussi à ses premières armes. Il a su prouver qu'il avait du talent car il jouit depuis plusieurs années de la cote d'amour des téléspectateurs. Il tire bien son épingle du jeu, ce Pierre Marcotte!

Comme j'adorais chanter, les Enfants de Marie de ma paroisse m'ont aussi recrutée. Salut du Saint Sacrement, mois de Marie, mariages, messe de minuit, peu importe l'occasion, j'étais de la partie.

Mes moments de loisirs étaient habituellement consacrés à la peinture. Au moment de leur mariage, plusieurs de mes amies ont reçu en cadeau une gouache représentant une ballerine gracieuse (du moins, je l'espère!). Les danseuses classiques et la nature étaient mes sujets de prédilection. Était-ce à dessein que j'essayais de prouver que je n'étais pas sans dessin...?

Bon! Grâce à mes contacts artistiques et à mes activités, j'avais dû admettre que je n'étais pas bête, mais l'image personnelle que j'avais de moi-même en tant que femme ne s'arrangeait pas du tout. Qu'il soit snob ou non, il suffisait qu'un garçon tombe dans la classe sociale des filles qui m'avaient tant de fois humiliée au couvent pour que je retombe inexorablement dans l'abîme, me sentant laide, insignifiante, et patati et patata. Automatiquement, les jeunes hommes «bien» s'éclipsaient.

Je me souviens, entre autres, d'un *blind-date* organisé par une amie. Le jeune homme était blond, grand, bien éduqué et charmant. La conversation était agréable, nous dansions harmonieusement, la soirée était parfaite. Pourquoi ai-je eu l'idée saugrenue de lui demander son occupation? Question élémentaire, penserez-vous, mais tellement dangereuse dans mon cas! Étudiant en agronomie. Paf! Le couperet venait de tomber! Un professionnel en puissance! Les seuls mots que j'ai pu articuler par la suite semblaient sortir d'un troupeau pris de panique, et en dansant, je lui marchais carrément sur les pieds. (Avant la réponse fatidique, j'avais pourtant le pied si léger!) Il est venu me reconduire chez mes parents pour une première et dernière fois.

Pour que je me sente bien avec un garçon, il fallait qu'il se situe au niveau où je me sentais: au ras du sol. Mon éventail (format réduit) de soupirants tenait de la marée basse. Au moins, avec eux, je me sentais en sécurité puisqu'ils étaient dans l'impossibilité de m'humilier.

Est alors entré dans ma vie un garçon d'instruction moyenne, sportif, bon danseur (ces deux qualités me permettaient de donner libre cours à mes élans d'énergie), travailleur, gentil (trop gentil), doux (trop doux), docile (trop docile) et, par surcroît, amoureux de moi. Exactement ce qu'il me fallait dans les circonstances. Si ce mariage a été un échec, je réalise avec le recul qu'il n'a pas été une erreur non plus. En 1957, nous étions bien assortis; en 1966, nous ne l'étions plus. Basée sur nos personnalités respectives, notre évolution ne s'est pas faite au même rythme. Beaucoup plus rapide dans mon cas, elle m'a fait creuser sans que je le veuille un fossé qui ne cessait de s'élargir. Transformée en incompatibilité de caractère, elle a rendu notre séparation inévitable et irréversible.

CHAPITRE III

S'installer dans «son» logis, prendre ses responsabilités et sa vie en main, voilà des circonstances qui aident à acquérir la confiance en soi. Mon ego, tout en grimpant d'un échelon, restait en vase clos. J'étais heureuse mais ma soif d'apprendre fut très vite assouvie, d'autant plus que je n'aimais pas les travaux domestiques. La routine du ménage m'assomme encore aujourd'hui, et même si j'ai toujours cuisiné avec plus ou moins (surtout moins...) de succès, je préfère de beaucoup jouer du marteau plutôt que de la cuiller. Pareil goût frôle le drame quand on est censé entrer dans un cadre établi à l'intérieur duquel se trouve le rôle traditionnel de l'épouse et de la mère. Le M.L.F. n'avait pas encore fait démarrer son malaxeur; en se mariant, on se casait pour à peu près le reste de ses jours, sans envisager la possibilité du divorce si les beaux rêves romantiques se mutaient en ouragans.

Les moeurs changent lentement, Dieu merci! et je n'admets toujours pas qu'une femme qui a besoin de stabilité affective et qui désire devenir mère, doive par le fait même raturer de sa vie ses goûts et ses ambitions personnels et écoper de toutes les corvées inhérentes à un foyer qui marche. Pendant que Monsieur et les enfants font leur vie, Madame raccommode les chaussons en égrenant ses rêves envolés. Je ne suis pas une féministe enragée. Je n'ai jamais crié à la libération ni brûlé mon soutien-gorge. L'épanouissement de l'être humain, quel qu'il soit, me semble toutefois un droit primordial et essentiel au bon fonctionnement de la matière grise, et il me semble logique que l'épanouissement de la femme entraîne celui de tout son entourage de la même façon que ses frustrations tacheront d'ombre le tableau familial. Simple bon sens!

La fillette devait encore traîner en moi puisqu'en prenant mari mon envie la plus vive était d'avoir un enfant dans le plus bref délai possible. Je voulais une poupée vivante. M'eût-on dit que j'étais stérile, je serais restée célibataire.

Avec cette conception des choses, si j'avais vingt ans aujourd'hui, je me ferais sans doute faire un enfant, tout simplement. C'était impensable en 1957! La symbolique robe blanche de mon mariage était très digne de ce qu'elle représentait et il aurait dû porter un habit blanc lui aussi! Nous vivons aujourd'hui une explosion sexuelle souvent indigeste, mais pour les gens de ma génération et des précédentes, on avait froidement, maladroitement et souvent brutalement les réponses à toutes les questions qui avaient mis les freins dans la gorge. Certaines jeunes femmes enceintes ne savaient même pas par où le bébé allait faire son entrée dans le monde. Mon compagnon n'était pas loin de cette ignorance pénible. C'est vous dire!

Neuf mois et dix jours après la noce, je donnais naissance à ma fille Marie-Claude, merveilleuse poupée rose qui venait me remplir de joie et de fierté. C'était incontestablement le plus beau bébé de la pouponnière même si la comparaison était difficile à faire puisqu'elle était isolée des autres. Sans y avoir jamais pensé, je savais depuis toujours que je la nourrirais au sein, mais la mode était au

*Ma première photo en compagnie
de mes frères Charles et Gabriel.
Non, je n'ai jamais posé, les petites «foufounes» à l'air, étendue
sur une couverture duveteuse...
Admettez que j'étais quand même
une belle petite fille!*

La traditionnelle photo de graduation. Vous me reconnaissez quelque part? Non? Il faut que je vous aide? Je suis la deuxième à partir de la gauche.

La septième, c'est Lucille Marcotte, soeur de Pierre et épouse de Claude Boulard. Il me semble qu'elle trichait, qu'elle cherchait à se grandir en se tenant sur la pointe des pieds... Coquette, va!

biberon stérilisé. L'allaitement maternel n'est-il pas le geste le plus naturel du monde? Encore une fois, je me sentais à part des autres, gênée d'être marginale, mais ma fille et moi nous en portions très bien. De plus, j'avais la joie intense de la serrer régulièrement dans mes bras alors que les autres poupons restaient cloîtrés dans leur cage de verre jusqu'à leur sortie de l'hôpital. On avait une grosse peur des microbes!

Pendant deux ans, j'ai bichonné, cousu, bercé pour faire passer les coliques et les rages de dents, sans cesse émerveillée par les changements rapides qui s'opéraient dans le développement de l'enfant. Malgré mon amour pour ce petit être, j'avais toujours envie d'apprendre autre chose. Pour combler le creux, des cours de confection de chapeaux ont fait l'affaire pendant quelques semaines, et des tentatives de sculpture m'ont laissée déçue. Travaillant avec des ciseaux à bois (les moyens du bord...) dans un cube d'un matériel friable et poreux dont j'oublie le nom, j'avais l'intention de faire une tête de femme. Au moment précis où je lui jouais dans la pupille, une bulle d'air, cachée par inadvertance juste sous mon outil, a décidé de sortir au grand jour. Face à face avec une borgne qui ne faisait pas du tout mon affaire, je n'ai trouvé rien de mieux que de la balancer dans la poubelle. Fin de ma carrière de sculpteur!

Mon mari ayant décrété que la chorale n'était pas la place d'une femme mariée (sic!), je me trouvais, étant l'obéissance même, en panne sèche de musique, et ce que ça me manquait! Pas de piano à la maison, rien. J'ai emprunté un accordéon et me suis mise à étirer et refouler tout en jouant du piton. À mes yeux, ce n'était quand même pas l'instrument idéal. Psychologiquement parlant, je m'ennuyais carrément.

Par un heureux coup du sort, Normand Gagnon, un guitariste de nos amis, désireux d'organiser un trio musical, me demanda si je voulais prendre place au piano et au micro. Un batteur s'est joint à nous, et les noces environnantes et les soirées mondaines retentirent au rythme de notre musique. Il y eut même un contrat à l'hôtel Queen de Montréal, ce qui fut sans doute l'apogée de notre carrière. J'ai abandonné quand ma deuxième grossesse devint trop flagrante.

Ma fille avait grandi, forte de ses deux ans; elle m'imposait moins de soins constants et j'avais envie d'un autre enfant. Ce serait un garçon et il s'appellerait François.

J'ai eu la chance d'avoir les enfants que j'ai voulus au moment où je désirais les avoir. Je pense qu'il doit être extrêmement pénible pour une femme de se retrouver embarquée dans la galère de la maternité sans en avoir le goût ou les moyens.

La naissance de mon fils ne s'est pas faite aussi facilement qu'on tricote une paire de mitaines, c'est le moins que je puisse dire! Le bébé étouffé à double tour par le cordon ombilical, le médecin a d'abord cru que sa petite vie s'était envolée alors qu'il était encore au chaud dans le nid maternel. Intoxiqué, faible malgré son poids imposant, jaune comme un petit citron, il fut sauvé d'une mort probable par le sérum, l'incubateur et le lait maternel. La mode demeurait au biberon stérilisé mais je n'y avais pas succombé.

Le bichonnage, le berçage et l'émerveillement quotidien ont repris leur cours mais je restais intérieurement rongée par la musique. Nous avions maintenant un vieux piano à la maison, et, comme dans ma jeunesse, j'y passais des heures avec l'avantage que personne ne venait faire claquer les portes. François grandissait lui aussi et les tâches domestiques me pesaient de plus en plus. Mon mari travaillait de huit heures du matin à onze heures du soir (je vous l'ai dit qu'il était travailleur!) et je m'ennuyais de plus en plus. J'étais pourtant très maternelle, mais il y avait un trou quelque part.

Des cours! Il me fallait suivre des cours de quelque chose! À Joliette, l'éventail offert était trop limité et j'ai commencé à lorgner du côté de Montréal. Je ne me doutais pas du tout dans quelle aventure j'allais être entraînée, ni des répercussions que cela aurait sur ma vie.

CHAPITRE IV

Heureuse de mes expériences de chanteuse amateur et imaginant toujours le show-business comme un domaine féerique et inaccessible, j'ai téléphoné à l'École du Rideau-Rouge pour demander une audition. Où ai-je pris cette audace soudaine? Je me le demande encore! Moi qui avais toujours attendu que quelqu'un m'ouvre les portes, voilà que je faisais avancer par mes propres moyens le boeuf attaché devant la charrue! Bien sûr, depuis toujours je rêvais secrètement d'une carrière dans la chanson, mais cet espoir s'était envolé la main dans la main avec mon célibat. Je n'espérais plus rien en ce sens, et, de plus, j'étais certaine qu'Éliane Catela me refuserait. Comment une Joliettaine de vingt-six ans (trop vieille), mariée et mère de deux enfants (trop tard), n'ayant aucun contact dans le milieu artistique et étant complètement ignorante des roulements du métier, aurait-elle pu avoir une lueur d'espérance de quoi que ce soit? Ridicule! Montréal regorgeait de talents et je souhaitais prendre des cours uniquement parce que je «mangeais» de la chanson et que je voulais en savoir davantage sur mon sujet de prédilection. J'ai toujours été chanteuse dans l'âme. Peu importe que je me produise ou pas, je suis certaine que je suis née comme ça et que je vais mourir en pensant de la même façon.

«Crêtée», gênée, regrettant déjà mon geste, je me suis présentée au rendez-vous fixé par Éliane, triturant dans mes mains la feuille de musique d'une chanson de Gilbert Bécaud: *Je t'appartiens*.

Le moins que je puisse dire, c'est que j'étais littéralement écrasée par l'oeil et l'oreille critique d'Éliane, imperturbable dans son fauteuil. À ma grande surprise, elle me dit que je l'intéressais, et je commençai mes cours la semaine suivante. Ma joie n'avait d'égale que la surprise de mon mari devant le déroulement des événements.

Beau temps, mauvais temps, je voyageais Joliette-Montréal chaque mercredi. L'autoroute n'existait pas encore et le déplacement n'était pas toujours facile. Au volant de ma petite Volkswagen, il m'est arrivé une fois de faire tout le trajet d'aller clouée derrière une charrue à neige qui nettoyait une route complètement fermée par la tempête. Pas question de la doubler; je l'ai donc suivie. Il en eût fallu davantage pour me faire abandonner.

Dans ce petit studio de la rue Tupper, qui avait Michel Louvain comme voisin de palier et où des vedettes comme Dominique Michel et Robert Demontigny venaient faire leur tour, j'apprenais à interpréter intelligemment un texte et à me servir de mes mains. De plus, mon professeur faisait un tri de chansons, constamment à la recherche de ce qui me convenait le mieux. Tout en étant très gentille, Éliane savait s'imposer. Quand l'élève répétait trop souvent les mêmes erreurs, elle lui lançait: «Considérez-vous comme giflée!», avec un brin de mutinerie au coin de l'oeil. Ce n'était pas très vexant mais ça suffisait à me pousser à la concentration.

L'émission *Les Découvertes* faisait ses débuts sur les ondes de Télémétropole et Éliane m'inscrivit. Chaque participant ne devait interpréter qu'une seule pièce, et Jean Paquin, qui était en charge de l'émission, choisit, parmi les chansons de mon répertoire, *La Fille des bois*, de Pierre Mac Orlan et Léo Ferré. Personnellement, je préférais du Bécaud, mais enfin! Le soir de mon apparition, le jury se composait de Jean Rafa (je savais qu'il serait très gentil), de Simone Quesnel (sa compétence me donnait la trouille) et du regretté journaliste Serge Brousseau (son franc-parler me terrorisait). Présentée par Yoland Guérard, je crois que mon baptême de l'antenne s'est bien passé. Comme prévu, Jean Rafa a été gentil, Simone Quesnel m'a reconnu du talent tout en soulignant que j'étais trop jeune pour interpréter *La Fille des bois* (qui se plaint d'être décrépite...?) et Serge Brousseau m'a prédit un brillant avenir après avoir fait remarquer qu'il avait perdu une couple de «u» à la fin de mes phrases... Pas dramatique! La gagnante de cette série des *Découvertes* fut Shirley Théroux, qui a su prouver par la suite qu'elle était digne du championnat.

Après quelques mois de cours, Éliane m'annonçait que j'étais prête pour les auditions de Radio-Canada. Extrême surprise de ma part, car je n'avais pas du tout prévu ça! Je me suis dit: «Pourquoi pas?» Elle était assurée de ma réussite, mais moi, je n'y croyais pas. Autant je me sentais à l'aise en chantant, autant dans ma vie personnelle je vacillais. Mon complexe d'infériorité avait la couenne dure!

De nouveau bien «crêtée» dans une robe noire assez moche (confection maison) sans bijoux (suggestion d'Éliane afin de ne pas attirer l'attention sur autre chose que mon interprétation), les cheveux remontés et gommés de Spray-Net, je suis entrée dans la salle d'audition pour faire face à Roger Joubert, installé au piano. Personne d'autre dans la pièce; j'ai donc présumé qu'il s'agissait d'une répétition. Il m'indiqua le micro, jeta un oeil absent sur ma feuille de musique et commença tout de go à jouer l'intro de la chanson de Jean-Pierre Ferland: *Ça fait longtemps déjà*. Je me mis à chanter dans cette salle vide, face à un mur cernant une grande vitre sombre. Il suffit d'une lueur de cigarette derrière ladite vitre pour que je réalise que le jury s'y trouvait! Ce n'était pas une répétition du tout!

Fin de la chanson, silence glacial. Intro de *Jack Monoloy* et c'était reparti.

Roger Joubert m'a ensuite remerciée et je suis sortie. Éliane m'attendait, s'est dite assez satisfaite de ma performance, et il ne restait plus qu'à attendre le verdict qui m'arriverait par la poste.

Un appel téléphonique arrive plus rapidement à destination qu'une lettre, c'est bien connu. Le lendemain, je recevais à Joliette un coup de téléphone d'un monsieur parfaitement inconnu qui disait avoir assisté à mon audition et être intéressé à me rencontrer. J'allais de surprise en surprise! Je téléphonai subito presto à Éliane pour me renseigner sur cet homme, n'étant pas du tout sûre de l'attitude que je devais prendre. Devais-je ou non aller rencontrer Alberto de Castello, attaché au poste de radio CFMB? Elle me conseilla d'y aller, m'affirma qu'il était un musicien de talent mais également un grand rêveur. Elle n'avait pas tort!

Effarouchée, intimidée, j'ai supplié ma soeur Madeleine de m'accompagner à ce rendez-vous. J'étais encore mal fagotée, les cheveux statufiés dans le Spray-Net et embarrassée d'un sac à main mal assorti à ma toilette (!). Comme le sac de Madeleine jurait un peu moins avec ma robe, elle a consenti à me le prêter et à prendre le mien.

Cet accessoire me permettait de savoir quoi faire avec mes mains nerveuses.

Monsieur de Castello m'attendait avec une gerbe de projets mirobolants. Chansons originales dont il serait l'auteur et le compositeur, et contrat de deux ans avec la compagnie London. Si la chose eut été possible, je serais tombée en bas de ma chaise! Il parlait déjà de carrière internationale, de chansons traduites en italien et en allemand (mon timbre de voix allait faire fureur en Allemagne, disait-il), et il demanda un renseignement quelconque dont la réponse se trouvait à l'intérieur de mon sac à main. Vous imaginez la scène? Je me mis à fouiller dans la sacoche portée par Madeleine afin de mettre la main sur ce dont j'avais besoin.

Tendues, énervées, nous sommes ressorties de CFMB aux prises avec un fou rire incroyable dû à cette histoire de sac à main et à cette façon bizarre que mon futur impresario avait (peut-être était-il myope?) de venir nous parler à quelques centimètres de la figure.

Encore une fois, je me suis dit: «Si ça m'arrive sur un plateau de pareille façon, pourquoi pas?» Je n'avais rien à perdre. Je pensais avoir la possibilité de faire quelque chose de valable, mais le côté international, je n'y ai jamais cru. Ça m'a simplement donné un peu de rêves, ce qui ne fait de mal à personne. Sans l'avoir vraiment voulu (à moins que ce ne soit inconsciemment), j'entrais dans le show-business par la grande porte. Le conte de fées que je m'inventais quand j'étais petite fille se réalisait. Incroyable! J'ai signé.

Entre-temps, Éliane avait commencé à m'emmener à des cocktails, des conférences de presse, à m'introduire dans le circuit, quoi! Alberto travaillait à changer mon image. J'avais abandonné le Spray-Net et mes cheveux tombaient librement sur mes épaules; sa femme m'avait enseigné l'art du manucure et donné des secrets de maquillage; on choisissait ma garde-robe (qui n'était plus confection maison) et je n'étais pas toujours d'accord. Je me souviens, entre autres, d'une robe à corsage noir et jupe de simili fourrure rouge et noire absolument horrible! Pour être honnête, disons qu'en général le choix était judicieux.

Un soir, accompagnée d'Éliane, je devais me rendre à un cocktail organisé en l'honneur de Huguette Proulx, qui venait d'être élue Miss Télévision. À mon arrivée chez elle, ma marraine artistique n'était pas encore prête, il lui restait à passer sa robe. Brandissant et faisant tournoyer un long morceau d'étoffe noire, elle s'y enroulait, immobilisant les points stratégiques avec des épingles de nourrice. Elle s'est rendue à la réception vêtue d'une magnifique robe drapée à la grecque. Faut le faire!

J'ai gardé de cette femme un souvenir inoubliable, énormément d'admiration pour sa force de caractère et son franc-parler, et aussi beaucoup d'affection. Je me promettais que le jour où je serais devenue une «grande» vedette (je commençais à y croire...) je lui ferais un magnifique cadeau pour la remercier de tout ce qu'elle avait fait pour moi. Malheureusement pour nous deux, je ne le suis jamais devenue.

CHAPITRE V

Tout en échafaudant ses projets chimériques, Alberto avait choisi un deuxième poulain dans l'écurie de l'École du Rideau-Rouge: un jeune homme d'ascendance italienne, à la voix et au physique agréables. Étant montréalais et un mordu de la chanson lui aussi, il avait tourné maintes fois dans le carrousel des concours d'amateurs. Il racontait que si un enfant se présentait à l'un de ces concours, le public succombait au charme angélique et le petit garçon ou la petite fille en ressortait chargé des lauriers de la victoire en plus d'un chèque minuscule ou d'une montre Cardinal.

Simplement parce que je trouvais ça joli, j'avais décidé de porter le nom de Pascale et lui devint Dominic.

Notre nouvel impresario nous faisait trimer dur. Les répétitions se multipliaient, agrémentées des crises de nerfs du maître si le geste prévu n'entrait pas sur le mot convenu.

L'idée de base du spectacle que nous préparions était très bonne. Dominic excellait dans la chanson commerciale, et moi, je voguais avec aisance dans les textes plus étoffés. C'était un heureux mariage de styles et de voix.

Situation ambiguë, toutefois, puisque nous n'étions pas duettistes. Faisant tous les deux partie intégrante du même spectacle, nous y donnions nos tours de chant respectifs, commençant et terminant par une pièce chantée à deux.

Mais avant la grande lancée de spectacles, il fallait commencer par un disque (je crois que ça se passe encore comme ça aujourd'hui, n'est-ce pas?). Nous étions riches de quatre chansons originales, paroles et musique d'Alberto. En février 1963, deux 45 tours furent gravés. Dominic fit un malheur avec *Gisèle* et mon *Journal intime de Maristelle* se classa aussi au palmarès mais plus modestement.

Dominic, fort de son style commercial, ne posait pas de problèmes, mais moi, je laissais les critiques perplexes. Nous traversions une période où les chanteurs se classaient en trois catégories distinctes: les classiques, les chansonniers (la vogue des boîtes à chansons était à son apogée) et les populaires, ces derniers se taillant des succès en reprenant des tubes français ou en traduisant des hits américains. Il n'y avait pas de palmarès purement québécois, et, pour être dite populaire, une chanson devait se garder d'être inédite. Avec mon matériel original, je causais donc un certain malaise. J'étais marginale (encore!) et on m'incitait à me brancher d'un côté ou de l'autre.

Aujourd'hui, la créativité a trouvé sa place et presque tous les chanteurs populaires exécutent des oeuvres originales québécoises dont le public est très friand. C'est un domaine qui a énormément évolué. Dans mon cas, même si l'accueil du public fut favorable, mon *timing* n'était pas bon.

L'écrivain Yves Thériault, convaincu de mon ascendance indienne (et Dieu sait qu'il s'y connaît!), avait accepté de s'occuper des relations publiques, activité exceptionnelle pour lui. Reportages dans les journaux, voyage à Caughnawaga pour des séances de photos, ce qui permit au Grand Chef de m'identifier immédiatement comme membre de la race, lui aussi. J'en avais, dit-il, exactement les caractéristiques: la silhouette un peu trapue (que j'aurais donc souhaité avoir celle d'un long roseau ondulant!), les pommettes saillantes, les cheveux de jais et la voix grave et assourdie digne d'une squaw de première qualité. Moi, je voulais bien; cette couleur nouvelle qu'on attribuait à ma petite personne m'amusait. Magnifique robe de caribou blanc, mocassins, colliers ornés de dents d'ours, plumes dans la crinière, rien ne fut épargné pour produire des photos de l'Indienne qui chantait *La Nuit s'en va* sur la face B de mon 45 tours. Si ces négatifs ne sont jamais devenus positifs, c'est qu'à l'arrière-plan, derrière cette femme à l'allure purement autochtone, se dressait un immense amphithéâtre moderne qui gâchait de façon grossière l'image qu'on avait voulu projeter.

Pour la première fois au Québec, nos disques furent présentés à la façon européenne: enveloppe pleine avec photo. C'était du jamais vu. D'ailleurs, quand je me suis présentée à l'émission *Jeunesse oblige* de Radio-Canada, Geneviève Bujold, qui coanimait avec Guy Boucher, a été très surprise de voir arriver une petite Québécoise. Elle était certaine qu'il s'agissait d'une importation (venant de Joliette, l'importation est faiblette...).

Après la sortie des disques, suivirent le cabaret, la télévision et la radio. Au cabaret, nos débuts se firent au Baron à Cartierville, dirigé par M. William Hénault, maintenant attaché à Quebecor. À la télé, ce fut *Jeunesse d'aujourd'hui*, avec Pierre Lalonde et Joël Denis, *Les*

Couche-Tard, avec Jacques Normand et Roger Baulu, *Music-Hall*, animé par Normand Hudon, *Bras dessus, bras dessous*, mettant en vedette Serge Laprade, etc. Les portes et les ondes nous étaient également ouvertes en province.

De la télévision, je n'ai qu'un seul mauvais souvenir. C'était à Trois-Rivières, dans le cadre de l'exposition agricole. Je devais faire en *lipsing* les deux faces de mon disque (en fait, le chanteur qu'on voit sur l'écran chante en duo avec son disque qu'on fait tourner au même moment). Vers le milieu de la chanson, au moment où je me préparais pour une belle envolée vocale, l'aiguille du tourne-disque (qui n'était pas au niveau, le pôvre!) resta malencontreusement coincée et je me suis retrouvée avec «Allez les! Allez les! Allez les!» à répétition jusqu'à ce que le disque-jockey soulève le bras assassin de l'appareil. L'animateur de l'émission était dans tous ses états et ne savait plus quoi dire, les gens massés autour du kiosque de la télévision rigolaient, et, personnellement, j'avais l'impression désagréable de porter des souliers deux points trop petits...

En 1963, la première photo officielle de Pascale, exécutée par le portraitiste Paul.

Dominic, mon petit frère de métier, au temps où nous trimballions nos valises ensemble.

Avait-on tort de me supposer une ascendance indienne? En regardant pareille photo, la flamme du doute reçoit une chaudière d'eau froide... Sur la rue, habillée comme tout le monde, il m'est arrivé de faire peur à une petite fille, qui a pris ses jambes à son coup en criant: «Une sauvagesse! Une sauvagesse!» Moi qui suis pourtant si douce!

Pascale avec Serge Laprade, animateur de l'émission Bras dessus, bras dessous à Radio-Canada. Cette photo date du 16 mars 1965.

Pour l'interprétation de la chanson Malague-na, Radio-Canada *m'avait déguisée en Espagnole. J'ai fait très peu d'émissions costumée mais je trouvais ça super! Il m'est aussi arrivé de jouer la* Madona *pour chanter* L'Ave Maria No Morro *lors du* Music-Hall *du soir de Noël. Par le truchement de vêtements particuliers, j'adorais devenir quelqu'un d'autre. C'est souvent le propre des timides...*

CHAPITRE VI

Pendant environ un an, Dominic et moi avons sillonné la Province. Ne connaissant que les villes jadis habitées par tante Germaine, je découvrais mille sites inconnus: le Lac Saint-Jean, l'Abitibi, les Cantons de l'Est, la Beauce, la Gaspésie, etc. Je me sentais en vacances perpétuelles et j'étais payée en plus!

Avec Dominic, j'ai eu beaucoup de plaisir, et il nous est arrivé évidemment toutes sortes d'aventures. Vous voulez que je vous raconte l'une des plus cocasses? Vous insistez? Soit!

Nous devions commencer à chanter le soir même au Lafayette à Québec, la tempête de neige était violente et les essuie-glace de ma «coccinelle» manquaient de vitamines. Je devais m'arrêter de temps en temps pour reviser avec une pièce de dix sous celui qui se trouvait devant mon visage afin de pouvoir deviner avec un peu plus de justesse où se trouvait la route. Je ne m'attardais pas à aller visser du côté de mon compagnon et il s'en disait fort aise. Il aimait autant ne pas voir devant lui, dans les circonstances. Tant bien que mal, nous sommes arrivés à destination avec un peu de retard, ce qui nous a obligés à sauter les répétitions d'usage avec les musiciens pour tomber directement dans le spectacle.

Juste avant le lever du rideau, j'entendis Dominic pousser des cris horrifiés. Je m'attendais au pire, et si lui était dans tous ses états, moi, je rigolais! Très soucieux de son apparence et de sa présentation, il était toujours tiré à cinq épingles (un peu plus que quatre...), et, ô ironie du sort, ô malchance inouïe, il avait oublié chez lui le pantalon assorti à son beau veston de mohair noir. Il a passé une partie du spectacle à expliquer aux gens comment il se faisait qu'il portait un pantalon brun avec un veston noir. Je me bidonnais carrément!

Jamais de dispute entre nous, mais les fous rires étaient en grappes. Même pendant certains spectacles! Heureusement qu'Alberto ne s'y trouvait pas, car il nous aurait piqué une jolie crise en si bémol mineur! Dominic et moi n'étions rien d'autre que de grands copains, ce qui surprenait bien des gens qui supposaient que... En me taquinant, il m'appelait souvent sa «petite sœur» et je ne garde que de bons souvenirs de lui.

Dieu sait que la vie de cabaret n'est pas facile pour une femme. Les hommes (les femmes aussi...) s'imaginent presque automatiquement que le lit d'un artiste est aussi ouvert que ses feuilles de musique. Je peux vous affirmer que si c'est vrai dans certains cas, ce n'est pas vrai de tout le monde. On fait dans ce milieu la vie qu'on veut bien faire, comme partout ailleurs.

Les voyages étaient parfois extrêmement fatigants aussi. Une fois, par exemple, j'ai terminé un engagement à Valleyfield un dimanche soir (aux petites heures du matin, forcément) et je devais chanter au Carnaval d'hiver de Rimouski le lundi soir. Est-il besoin de préciser que j'ai remisé mon sommeil sur une tablette et que j'ai voyagé toute la nuit? Rendue à destination, il fallait que je sois en forme (du moins apparente), souriante et en voix.

Ce Carnaval de Rimouski a quand même été fantastique. Sous le patronage de M. Carol Briand, j'ai été, pour la seule et unique fois de ma carrière, traitée en star. Chauffeur privé, garde du corps, gerbe de fleurs, public extrêmement chaleureux, tout y était. Le maître de cérémonie local était un jeune chanteur charmant et plein de promesses. Il s'appelait Jean Faber. Ça vous dit quelque chose? Si la mémoire vous fait défaut, donnez un coup de fil à Monique Vermont.

Sur scène, il me suffisait d'avoir derrière moi de bons musiciens et devant moi un bon système de sonorisation pour me sentir tout à fait bien. Chaque chanson était un voyage, une envolée magique, et si le public la partageait avec moi, j'étais doublement heureuse. Si les gens préféraient bavarder (ce mot est faible...) en calant une grosse bière (cette quantité est faible...), tant pis, le voyage se faisait sans escorte.

Quand les musiciens étaient mauvais, là, c'était moins drôle. Parfois, ça tournait presque au duel entre eux et moi.

À mes débuts, j'étais intransigeante. La mise en place de mes chansons était établie, je présentais mes arrangements musicaux et je n'en démordais pas. Il a suffi que je me casse la figure une couple de fois pour comprendre. Quand le rendement était pourri à cause des musiciens, qui mordait la poussière? Celle qui se trouvait sous le faisceau lumineux, pas les autres. J'en suis venue aux concessions (sans doute les seules que j'aie faites dans ce métier). Je présentais uniquement l'arrangement de mon ouverture, et si on en faisait un massacre, je leur demandais: «Connaissez-vous un tel succès de Ginette Reno?» La réponse était habituellement affirmative, et le tour de chant se faisait à l'oeil et à l'oreille avec les succès de l'heure. C'était une façon comme une autre de sauver ma peau.

Il y eut des engagements difficiles, pénibles, mais il y en eut aussi d'autres qui furent extraordinaires. Durant deux semaines, sans mon copain habituel, j'ai été la vedette américaine du spectacle de Pierre Dudan à l'hôtel Reine-Élizabeth. À cette occasion, un journaliste avait écrit, dans sa critique du *Petit Journal*, que je chantais avec une «farouche conviction». C'est la seule critique dont je me souvienne; ces mots traduisaient parfaitement mon état d'esprit.

Je m'en suis si bien tirée qu'on m'a invitée à aller me produire au Royal York de Toronto. Alberto s'est chargé des démarches et a bousillé l'affaire de façon magistrale. Excellent musicien, il était un piètre homme d'affaires, connaissait fort mal les roulements intrinsèques du show-biz et n'avait pas les contacts nécessaires. Sur le plan musical, il m'a beaucoup appris, mais sa gérance a nettement tourné à la déconfiture. Dominic et moi avons brisé notre contrat avec lui et avons décidé de faire cavalier seul. N'imposant plus deux cachets, par la force des choses, il nous semblait que les ouvertures se feraient plus facilement.

Les dents de «godendard» étaient de retour. Je n'avais pas le culot d'aller demander du travail, et, sans agent, sans promotion adéquate, même une Barbra Streisand ferait du petit point assise au coin du feu. Ma carrière ralentissait de plus belle quand Guy Latraverse me demanda d'auditionner devant le public du Café Saint-Jacques. (Il ne devait pas assister souvent aux spectacles de cabaret ni regarder la télévision...) Le sachant coté impresario numéro un, j'ai accepté, et les spectateurs se sont montrés plus que chaleureux. Le *numero uno* était intéressé, il parlait déjà d'un contrat en Europe avec Guy Béart (décidément, on n'était pas regardant sur l'ampleur des projets qu'on me faisait miroiter!), j'avais les yeux ronds et la voix prête, mais j'ignorais qu'il vacillait sur le bord d'une faillite qui n'a pas tardé à lui faire perdre pied, entraînant mes espoirs dans la dégringolade.

Jacques Matti, producteur de disques très florissant à l'époque, s'est à son tour intéressé à ma petite personne. Sur étiquette Fantastic, j'ai gravé un nouveau 45 tours incluant une très jolie chanson de Jacques Michel: *Tu es mon coeur*. À Télémétropole, Jacques Duval faisait une critique des disques assez acide et il avait classé le mien à 89 (!), ce qui était très bon. Plusieurs productions discutables atterrissaient carrément dans la poubelle.

Nouvelle tuile: Jacques Matti sombra à son tour dans la faillite juste au moment où on commençait à préparer mon premier microsillon.

Dégoûtée des rêves qu'on échafaude et qui s'écroulent comme des jeux de cartes, j'ai signé avec un gérant inconnu et minable en me disant qu'au moins je travaillerais. Effectivement, avec lui, je chantais cinquante-deux semaines par année, dans des endroits plus ou moins valables, espérant toujours le coup de chance qui me ferait sortir de l'engrenage du cabaret. J'ai compris plus tard que je n'y serais sans doute jamais arrivée. Les *bookers* de cabaret ont une liste d'artistes de divers calibres et les bons numéros sont nécessaires pour contrebalancer les mauvais. Ils ne sont strictement pas intéressés à ouvrir les portes du vedettariat à leurs poulains. Ça tourne en rond, toujours dans le même circuit. Pour un engagement de superclub, je m'en tapais quatre de troisième ordre. Pas riche!

C'était bien beau de travailler continuellement, mais la vie de famille en prenait un coup. Côté conjugal, la flamme déjà vacillante s'était éteinte sous le raz-de-marée de mes absences et de cette assurance nouvelle qui me donnait des ailes. Ma seule souffrance était la soeur jumelle de celle subie par mes enfants. D'une gardienne à une grand-mère, d'une tante à une autre gardienne, c'était loin d'être l'idéal. Quel dommage que de jeunes enfants doivent absorber ce genre de choc.

Comme il m'était impossible de reprendre une vie de couple dans les conditions établies, je ne pouvais pas me permettre d'arrêter de travailler et je me contentais de voir mon garçon et ma fille le plus régulièrement possible, en remplaçant la quantité de mes présences par la qualité de mes rapports avec eux. Quand la chose était possible, l'un d'eux venait passer quelques jours ou une semaine avec moi. Ils adoraient ça, assistaient à mes spectacles dans les coulisses, devenaient les chouchous des artistes qui m'entouraient.

Je ne me sentais pas une vraie mère au sens propre du mot et c'était la seule ombre au tableau de ma vie d'artiste.

Quelle facilité pour un homme placé dans les mêmes circonstances! Il peut être absent de la maison aussi souvent qu'il le désire sans se sentir moins père pour autant. Les rôles respectifs des parents sont encore bien classés, coincés dans deux cadres différents, et celui de l'homme a beaucoup plus épais de dorure. Il me semble pourtant que, de part et d'autre, la responsabilité devrait être égale. Même en 1981, avec tous les changements qui s'opèrent, les enfants restent toujours (ou presque) la charge de la mère. Peut-être que dans deux ou trois générations...

En y repensant, je crois avoir traversé ma crise d'adolescence autour de la trentaine (serait-ce encore mon côté marginal?). Moi qui avais toujours été la docilité et l'obéissance mêmes, voilà que soudainement j'ai tout balancé en l'air à l'exception de mes enfants: le mariage, la religion, et, à peu de chose près, ma propre famille, qui s'opposait ouvertement à ma carrière. (Non, je n'ai pas été le genre de fille que la maman pomponne avant les spectacles tout en se pâmant du génie de sa fille! Je pense qu'on était fier de moi mais c'était caché sous une grosse, grosse sourdine.) Presque toute ma vie passée s'inclinait sous un vent de révolte.

On sait que le Taureau est d'une nature calme, d'une patience angélique jusqu'au moment où il en a plein les naseaux, et alors, il ne fonce pas, il défonce. C'était à peu près ça. Le métier de chanteuse m'avait apporté beaucoup: accomplissement d'un rêve inné, développement d'un talent tout aussi inné, et, par-dessus tout, disparition presque complète de mon complexe d'infériorité. En spectacle, je me sentais sûre de moi; par le biais des textes, je donnais libre cours à tous ces sentiments que j'avais toujours tenus en laisse, bref, je m'épanouissais. Je ne me suis jamais sentie supérieure mais sur un pied d'égalité, et, bon sang! ce que ça faisait du bien! Je n'étais plus ni laide, ni insignifiante, ni non désirable, j'étais devenue simplement une femme comme toutes les autres.

L'inévitable séparation se produisit. J'étais devenue une femme libérée qui gagnait sa vie et pourvoyait aux besoins de ses petits. Le père s'est lavé les mains de toute responsabilité; quelque temps après, il a refait sa vie en repartant à zéro, oubliant même qu'il avait deux enfants assoiffés d'attentions paternelles, qu'ils n'ont plus jamais reçues. Encore une fois, c'est facile pour un homme de tourner la page sans regarder en arrière. Peu de femmes se permettent la même chose.

Je me disais que jamais, au grand jamais, je ne lierais ma vie à un autre homme, fût-il Alain Delon lui-même!

J'ai vécu ma solitude pendant un an et je m'y suis habituée. Mes temps creux étaient comblés par la peinture, le petit point, le crochet, la couture. (Je traînais toujours une machine à coudre portative d'une lourdeur à vous faire développer des biceps de leveur de poids! J'habillais ma fille de la tête aux pieds, et tous mes costumes de scène étaient de ma confection. Je n'avais tout simplement pas les moyens d'acheter les toilettes qui m'auraient plu, et alors, tout y est passé: velours, chiffon, minuscules perles, paillettes, fausses pierres du Rhin, l'éventail complet, quoi!

J'en étais à ce point quand un grand énergumène barbu, marginal lui aussi, est entré dans ma vie avec un petit bouquet de violettes à la main. Les jambes coupées par un pareil romantisme, je suis retombée à plat ventre dans une nouvelle histoire d'amour, aussi belle qu'inattendue.

CHAPITRE VII

Je connaissais Jean Morin comme à peu près tout le monde, pour l'avoir vu au petit écran avec les Scribes ou en compagnie de Réal Giguère. Quelques années auparavant, je l'avais croisé et reconnu sur la rue Sainte-Catherine. Venue de Joliette pour magasiner, j'avais croisé une vedette, quelle chance! Si on m'avait dit, à ce moment-là, que j'allais un jour devenir sa femme, j'y aurais cru autant qu'à ma participation au concours de Miss Univers. (C'est vous dire!)

Dixit Jean, il m'a d'abord remarquée quand je venais faire des émissions à Télémétropole. J'étais différente des autres, ce qui avait pour effet de l'intriguer. Après un travail professionnel et bien fait, je disparaissais sans bruit, ne demandant rien à personne. On ne me voyait jamais traîner dans les couloirs du poste, je n'allais jamais demander de travail aux réalisateurs et j'étais très peu liée au milieu propre à apporter des ouvertures. (Je n'avais donc pas la bonne méthode!)

À mes débuts, Alberto m'avait donné l'ordre de taire mon statut conjugal et ma progéniture, ce qui m'avait forcée à «patiner» lors des entrevues. Ma vie sentimentale était discrète, ma vie personnelle ne s'étalait pas à pleins journaux, bref, on ne savait pas trop à quoi s'en tenir sur mon compte. La *Joconde* et moi restions chargées de mystère... Comment se faisait-il que cette Pascale soit aussi évasive et décline les invitations des mâles rattachés d'une façon quelconque au métier? Sans doute faisait-elle partie de la confrérie des lesbiennes. C'est du moins la conclusion que certains ont tirée.

J'ai toujours trouvé déplorable qu'on attache autant d'importance aux tendances sexuelles des artistes. À mes yeux, seule leur performance sur scène devrait peser dans la balance. Gilbert Bécaud pourrait fort bien avoir un penchant marqué pour les antilopes d'Alaska (espèce extrêmement rare...), il n'en resterait pas moins l'Artiste avec un grand «A».

Aujourd'hui, on a laissé tomber beaucoup d'hypocrisie dans plusieurs domaines et on trouve normal qu'un chanteur ou une chanteuse soit marié et possède une famille. On n'en fait plus des objets de convoitise qui doivent paraître disponibles pour leurs fans. Dans mon temps (ce que je me sens mémère en écrivant ça!), ou tu te payais des aventures tapageuses ou tu étais lesbienne. Quelle fausseté! Et quelle bonne chose que ce soit changé!

Jean, en tant que recherchiste, m'a demandée pour quelques émissions dont *Télé-Métro*, *Réal Giguère Illimité*, *Toast et café* et *Claude Blanchard*. C'est d'ailleurs sur ce dernier plateau que j'ai fait plus ample connaissance avec lui.

S'il est devenu un homme sobre à cent pour cent, il avoue lui-même avoir été un spécialiste de la bouteille, et, ce soir-là, il avait largement usé de sa spécialité. Après l'enregistrement de l'émission, il invita plusieurs personnes à se rendre au Club Playboy, où je n'avais jamais mis les pieds. Côtoyer un peu les personnes influentes dans le milieu me semblait souhaitable et j'ai accepté l'invitation.

La première chose que j'ai sue, le groupe s'était dispersé et je me retrouvais seule avec ce grand barbu qui n'était plus du tout en état de conduire. J'avais le choix entre le laisser là ou lui rendre le service de le conduire quelque part. J'ai opté pour la deuxième solution, et, comme il m'avait dit habiter Repentigny, en route pour Joliette, je l'ai fait descendre au dernier motel de Pointe-aux-Trembles. (Je n'étais quand même pas pour aller le livrer à domicile!)

Jusque-là, avouez qu'il n'y avait pas grand présage dans le ciel; il n'y avait pas de quoi faire courir les chameaux des Rois mages! Sans doute pour compenser son manque de chevalerie passé, quelques semaines plus tard, il m'invitait à dîner au pavillon de l'Espagne. Nous étions en 1967 et l'Expo battait son plein. Il fut d'une compagnie beaucoup plus agréable que la première fois (ce qui n'était pas très difficile...) et nous avons ensuite bavardé en faisant un tour de gondole. Je m'attendais que notre gondolier nous rebatte les oreilles à grands coups de *O Sole Mio*, mais il n'en fit rien et notre balade fut seulement accompagnée du soleil et des clapotis de l'eau. J'ai appris tout de go, au rythme des vagues (vaguelettes...), qu'il était marié, père de trois fils, et qu'il connaissait de graves problèmes conjugaux, qui existaient bien avant mon entrée dans le tableau. À ce niveau, je n'ai rien détruit, c'était déjà fait. À défaut de mémoriser les paroles italiennes de *O Sole Mio*, j'avais appris un tas de choses.

Et nous nous sommes revus. Tantôt pour aller manger un sandwich sur l'île Charron, tantôt pour grignoter un bout de pain français et du saucisson dans ma petite chambre miteuse, sise coin Sherbrooke et Hôtel-de-Ville. Je chantais toujours, et quand j'étais à l'extérieur de la ville, je recevais chaque semaine une magnifique gerbe de fleurs. Je n'étais pas habituée à ce genre d'attentions et ça me touchait beaucoup.

Finalement, pour éviter de m'éloigner continuellement, j'ai accepté le seul engagement à long terme possible dans la métropole. C'était une boîte spécialisée dans un art vieux comme le monde et les danseuses qui composaient le plus fort des effectifs prouvaient par leurs «steppettes» qu'elles n'avaient pas la cuisse lourde du tout. Le premier soir, j'étais carrément paniquée! Une entente avec le gérant de l'établissement me permettait de limiter mes talents (!) à la scène, faisant du maître de cérémonie masculin et de moi-même les deux seules personnes *straight* de la place. La marginalité, je l'avais cette fois en bloc! Entre mes tours de chant, je tricotais pour ma fille dans la grande loge commune où les filles déambulaient dans le plus simple appareil. Et puis l'une d'elles eut envie d'apprendre le tricot, et puis deux, si bien qu'à un moment donné il y avait toute une rangée de filles n'ayant rien de commun avec les grands-mères, qui jouaient de l'aiguille au lieu d'aller à la chasse aux clients. Il a suffi que le gérant de l'établissement passe par inadvertance dans le couloir pour que mes cours de tricot s'arrêtent tout sec. Si les danseuses voulaient conserver leurs aiguilles, elles devaient prendre la porte avec. Et vlan! Dire que j'ai failli réformer le milieu!...

Je travaillais toujours à cet endroit quand je fus invitée à chanter à l'émission *Toast et café*, animée par Dominique Michel et Paolo Noël, sur les ondes de Télémétropole. Jean me pria de ne pas mentionner à quel endroit je gagnais ma croûte, parce que le cabaret était de qualité discutable. Bon, je voulais bien n'en rien dire, mais cela

Le capitaine Jean Paré-Morin, vingt-cinq ans avant qu'il n'entre dans ma vie. Il avait alors vingt-deux ans et, ma foi, il n'était pas mal du tout!

La journée de son baptême, Jean-Philippe posait pour la première fois avec ses parents. C'était le petit trait d'union qui ficelait ensemble tous les membres de notre famille conçue en pièces détachées.

Jean Paré-Morin et Élizabeth Clément viennent de s'unir par les liens du mariage civil, le 22 août 1970.

La famille de Jean, le jour de notre mariage. De gauche à droite: Jacqueline et Pierre, frère et soeur, la maman Germaine, Huguette, épouse de Pierre, Fernand, époux de Jacqueline, et les heureux mariés. Pierre et maman Germaine sont disparus depuis et le vide est d'autant plus important que la famille est restreinte.

De toutes les photos de Jean, voici celle que je préfère. Le Robinson Crusoé romantique...

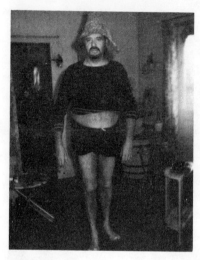

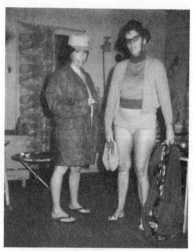

En offrant à votre oeil connaisseur ces trois magnifiques spécimens, Jean craint fort que sa soeur Jacqueline ne tente de m'assassiner... Nous nous sommes souvent amusés à prendre des photos de «concombres» et celles-ci sont assez explicites... Si vous pensiez que Jean gardait ses blagues pour l'émission Réal Giguère Illimité, il ne vous reste plus qu'à changer d'avis. Les belles jambes longues, c'est Jacquot; les pattes courtes, c'est moi...

n'empêcha pas l'un des animateurs de me poser la question. Je répondis que je prenais quelques jours de vacances, tout bonnement, comme ça...

Il faut croire que mon silence ne tomba pas dans l'oreille d'un sourd (faut le faire!). À la porte de l'établissement en question, on affichait, presque grandeur nature, les photos des filles qui s'y produisaient, question d'attirer la clientèle. Dans mon cas, étant satisfaite de mes performances de chanteuse, la direction avait également soumis ma photo à la convoitise populaire. Cette photo était du même format que celle des autres, mais on ne m'y voyait que la tête. Je n'ai jamais eu un aussi gros plan de ma vie! Quand je me suis présentée au travail ce soir-là, ma photo avait quitté la vitrine et avait sans doute été déchirée en menus morceaux par le gérant, révolté d'avoir loupé un bon coup de publicité gratuite. À mes yeux, l'incident était plus cocasse qu'autre chose. Tant pis si on ne pouvait plus faire de lèche-vitrine devant ma tête de géante!

Je voyais Jean de plus en plus souvent, et, à notre grande surprise, voilà que l'amour avait tissé sa toile entre nous. Ce que la vie peut être belle quand elle est chaperonnée par l'amour! Il échafaudait déjà des projets mais j'étais réticente car j'y voyais des obstacles majeurs.

D'abord, le préjudice causé à ses enfants. Ma séparation avait été traumatisante pour les miens et je ne voulais pas être responsable de la souffrance d'autres petits. J'ai mis fin à nos rencontres.

On sait qu'un amoureux ne s'arrête pas à la première rebuffade, et il m'est revenu en m'affirmant qu'il avait l'intention de se séparer de sa femme, peu importe que j'accepte ou non de refaire ma vie avec lui. Sans raser mes remords à la racine, il les a quand même raccourcis de quelques centimètres.

Obstacle numéro deux: les rangées de bouteilles que mon Roméo s'amusait à vider de leur contenu ne présageaient rien de bon pour une vie à deux. Tant qu'à m'embarquer sur un bateau, je préférais qu'il ne risque pas de piquer du nez à tout instant. Nouvelle rupture, et nouveau retour de mon chevalier servant, portant la hampe de la bonne volonté surmontée du drapeau de la sobriété. Juliette sécha ses larmes, capitula devant l'Amour, et nous nous sommes installés dans un petit appartement de Longueuil.

Nichés au treizième étage, nous avions la compagnie d'un chaton tout noir baptisé «Treize». La superstition n'étouffait personne! Jusqu'à des heures tardives, nous bavardions sur le balcon en regardant cligner de l'oeil les manèges de la Ronde et les bateaux qui glissaient nonchalamment sur le fleuve. Nous avions de nouveau vingt ans comme tous les amoureux du monde, mais ces heures de tête-à-tête n'allaient pas faire long feu.

Tous les parents divorcés connaissent les problèmes inévitables dus aux réajustements familiaux. Il faut que chacun s'apprivoise petit à petit, en vienne à accepter ceux qui font figure d'intrus dans leur vie. Pour mes enfants, l'acceptation était relativement facile, vu qu'antérieurement je m'étais séparée de leur père. Pour les enfants de Jean, l'adaptation demandait plus de délicatesse et de temps. J'avais le coeur grand ouvert, mais il fallait d'abord qu'ils apprennent à me connaître et à surmonter l'incompréhension inhérente à la situation. Aucun enfant n'est apte à analyser avec justesse les déchirures de ses parents, et, la plupart du temps, il ne comprend qu'une fois rendu à l'âge adulte. Comme les enfants de Jean demeuraient avec leur mère, l'apprivoisement a pu se faire doucement. Aujourd'hui, je suis leur copine, et c'est sans doute la meilleure relation qui puisse exister entre nous.

Pascale poussait toujours la mélodie, mais elle se trouva rapidement coincée au pied du mur. D'une part, son mari avait une envie irrésistible de la dorloter doucettement au bercail, et, d'autre part, nous désirions un enfant qui soit de nous deux. Une sorte de trait d'union rattachant tous les membres de notre famille particulière.

Dans ce conflit au pied du mur, c'est l'enfant qui a gagné et Pascale a rangé ses feuilles de musique avec beaucoup de mélancolie. Jean étant déjà père de trois fils, j'espérais lui donner une fille, et, pendant neuf mois, j'ai attendu Sophie. Elle a maintenant douze ans et s'appelle Jean-Philippe... Le désir et l'intuition ne semblent pas suffisants dans pareil cas.

Une semaine avant la naissance de ce trésor, Jean fut terrassé par une hémorragie due à un ulcère d'estomac perforé. Nous demeurions alors à Saint-Hilaire. J'ai glissé mon gros ventre sous le volant de la voiture et j'ai suivi l'ambulance jusqu'à l'Hôtel-Dieu de Montréal. Avez-vous déjà suivi ce genre de véhicule comme si vous étiez son ombre? Si vous n'aimez pas faire route avec la panique, abstenez-vous. Feux de circulation, voie fermée sur le pont, rien ne les arrête et la limite de vitesse est inexistante.

Inquiète, les yeux encore équarris par le voyage d'aller, je suis rentrée à la maison après qu'on m'eut rassurée sur l'état du malade. Le bébé allait naître d'une journée à l'autre et le médecin m'avait prévenue que les choses pourraient se passer très brutalement. Toute seule sur le mont Saint-Hilaire, à trente kilomètres de l'hôpital Maisonneuve où je devais me rendre, je n'en menais pas large! (Psychologiquement car, physiquement, mon gabarit était respectable...) Pour me forcer au repos, j'usais de somnifères (j'avais toujours les yeux carrés...), et à mon chevet, bien en évidence et à portée de la main, se trouvait une liste de numéros de téléphone: taxi ouvert vingt-quatre heures par jour, ambulance, police, etc.

Le futur papa a eu son congé la veille de mon hospitalisation. Concernant l'heureux événement, les prédictions de mon médecin ne valaient guère mieux que les miennes. Fiston refusait obstinément de quitter le nid maternel et on dut avoir recours à la césarienne. À mon réveil, quand le docteur Jacques Desrosiers m'apprit que j'avais un magnifique garçon de plus de quatre kilos, je me suis enfin détendue et mes yeux ont repris leur rondeur coutumière.

Un an et quelques poussières plus tard, nous convolions en justes noces. Personnellement, je m'en serais abstenue, estimant qu'un contrat n'est pas nécessaire au bonheur. Si j'ai accepté la demande en mariage de Jean (faite dans l'auto en direction de Val-d'Or, avec sa mère sur le banc arrière...), ce fut d'abord pour donner le bon exemple à nos enfants (avec les changements de moeurs, quel jeune va sourciller sur ce point!) et ensuite pour calmer ma famille, qui admettait plus ou moins bien le fait que je marche à côté des chemins battus. Donc, le vingt-deux août 1970, très joli mariage civil, magnifique réception intime à la suite présidentielle de l'hôtel Bonaventure et voyage de noces à Saint-Benoît-de-Lacorne, en Abitibi.

À ce sujet, il faut que je vous raconte une anecdote. Lors de son premier mariage, Jean est parti en voyage de noces accompagné de sa femme, bien sûr, mais aussi de sa soeur et de son beau-frère, Dieu sait pour quelle raison!

Avait-il peur de s'ennuyer?... Suite à ce second mariage, nous mettions le cap vers le nord du Québec, et sa mère, présente au mariage, devait retourner à Val-d'Or par autobus. Il s'en fallut de peu qu'elle nous accompagne mais j'ai carrément et nettement refusé. Il était parti avec sa soeur la première fois, il n'allait pas partir avec sa mère la deuxième fois! Je me sentais un peu méchante vis-à-vis de cette vieille dame qui allait faire plusieurs heures d'autobus mais les antécédents me dérangeaient...

Nous avons passé une semaine à vivre au rythme des anciens colons. Poêle à bois, eau qu'il faut aller tirer du puits extérieur, toilette fonctionnant à la chaudière, tout y était pour gommer notre vie de citadins et élever un mur inoubliable autour de ces vacances d'amoureux. Sur une période d'une semaine, c'est merveilleux. À perpétuité... c'est autre chose!

CHAPITRE VIII

Jean est un homme qui m'a beaucoup apporté. Il a toujours su amener de l'eau au moulin de mon besoin d'apprendre, d'avancer. Il m'a ouvert plusieurs portes qui, sans lui, seraient restées fermées.

Aussitôt installée avec lui, sous ses instructions, j'ai commencé à faire des textes et des recherches pour la télévision. Ce genre de travail m'était facile et j'étais devenue son *ghost-writer*, la personne qui écrit dans l'ombre ce que signe un auteur connu et coté. Les choses allaient si bien que, pendant les trois dernières années de *L'Émission Claude Blanchard*, j'ai produit tous les textes, distribué les rôles, préparé la liste des costumes et accessoires, enfin, exécuté tout le travail de base. Ignorant tout ce qui était inscrit sur les papiers qu'il tenait en main, Jean allait diriger les comédiens sur le plateau. Ma participation a toujours été tenue secrète, et si Claude lit ces lignes, il apprendra probablement une nouvelle (pas fraîche...).

Ouvertement, j'ai plus tard préparé d'autres émissions du type *quiz*, comme *À vous de jouer* et *L'union fait la farce*. Sur les plateaux d'enregistrement, ce qui me vexait un peu, c'est qu'on me traitait (du moins, j'en ai toujours eu l'impression) comme une petite femme pas très futée que le mari essayait de pousser. Si on avait besoin d'explications ou de vérifications, jamais on ne s'adressait à moi. On s'informait à Jean, qui venait s'enquérir à la source avant de pouvoir répondre. La misogynie n'est pas née d'hier et ne mourra pas demain!

J'écris toujours des textes, attachée que je suis à l'émission matinale de Serge Bélair, ce nounours au grand coeur qui hérisse ses poils en rigolant. Depuis quatre ans, je lui fournis hebdomadairement une tranche d'humour qu'il intercale de façon géniale dans ses propos. Au début, il a suffi que je me branche sur sa longueur d'onde, et depuis, tout fonctionne à merveille. Mais encore là, il m'aura fallu trois ans avant qu'on admette que c'était bel et bien moi qui écrivais ces textes. Plus souvent qu'à mon tour, on m'a déguisée en bonne femme de paille qui ne sert qu'à prêter son nom dans l'espoir d'équilibrer les impôts de son mari. À Télémétropole, ils n'ont jamais compris.

Il y en a qui pensent que vivre avec un artiste est paradisiaque. Si ça vous fait rêver, pensez toujours! On trouve des artistes extrêmement gentils et d'autres carrément exécrables (comme dans n'importe quel milieu). J'en connais qui se donnent en spectacle même en achetant un sac de patates à l'épicerie du coin. La vedette qu'on admire au petit écran ou en société peut être fort différente dans l'intimité. J'ai vu plusieurs paons abattus se mettre à déployer leur éventail des grandes occasions, au risque d'en faire craquer les pentures, si des spectateurs ou admirateurs possibles se trouvaient soudain en position de les voir ou de les entendre.

Les femmes se pâment pour un certain chanteur populaire dont je tairai le nom. Il se fend en quatre pour donner l'image d'un artiste débordant de sex-appeal, de charme, de douceur et évidemment de génie. Vous voulez un exemple type du genre de phrase employée par ce délice des dames, quand sa femme se lasse des adolescentes qui crient et essaient de toucher à leur idole? «Écrase! Ce sont elles qui paient tes bas de nylon!» Gentil, n'est-ce pas? Ça ne donnerait pas envie à votre main droite de partir en direction de la boîte à bêtises accrochée à ce trésor du show-business?

Ils ne sont pas tous comme ça, Dieu merci! Il reste que, même quand ils sont des amours dans l'intimité, ça prend presque une vocation pour partager leur vie.

Comme les situations routinières et simplettes m'ont toujours ennuyée, en rencontrant Jean, j'ai trouvé l'homme apte à faire naître des remous dignes d'intérêt. Je n'ai pas l'intention de décortiquer notre vie de couple, qui ressemble à celle de tant d'autres: des hauts, des bas, l'amour fou, l'envie de tordre le cou pourtant aimé, les prises de bec coriaces et les douces réconciliations. Nous avons des points communs qui nous rapprochent et des écarts de pensée infranchissables.

Dans la revue *Femme*, nous avons d'ailleurs épluché à pleine page nos divergences d'opinions. Si vous avez loupé l'édition du mois de juillet 1978 (ou si vous l'avez oubliée...), je vous en fais ici cadeau. Il s'agit du premier de la série qui a duré une couple d'années. Le sujet du mois: «L'éducation des enfants». Voici l'opinion de mon tendre époux.

«Si vis pacem para bellum.» *Il faut bien que je me serve un peu de mon cours classique.* «Si tu veux la paix, prépare la guerre.» *C'est parce que, tout simplement et fort heureusement, ma chère Élizabeth et moi sommes très souvent en désaccord sur certains sujets.*

N'allez pas chercher notre nom dans la colonne des divorces pour si peu; on dit dans certains milieux que c'est tout simplement sain d'avoir des opinions partagées. Il va sans dire que je me devais de regarder par-dessus son épaule pour voir jusqu'à quel point elle irait sur mon compte. Ça se résume, en somme, à quelques différences astrales. Contrairement à ma douce «trois quarts», lorsqu'un sujet m'est offert, je tourne moins autour du pot. Je vais droit au but. Il était question d'éducation des enfants et je vais donc attaquer le sujet de front.

Oui, Liza et moi avons des opinions très différentes sur le sujet. Vous me demanderez, alors: «Comment avez-vous réussi à en élever six?» Probablement à force d'en parler et d'appliquer chacun de notre côté une partie de nos principes. Je me dois de vous raconter que j'ai été élevé dans la famille de ma grand-mère, une mère de huit filles. J'étais le seul garçon. Dans les conversations, aujourd'hui, on se rappelle les gâteries dont j'étais la victime à cette époque. Ça rend les conversations plus joyeuses. Si j'en fais une analyse saine et sans préjugé, j'ai été élevé sévèrement mais justement. Ce principe d'éducation appliqué de génération en génération est demeuré mon principe fondamental de l'éducation des enfants.

Ici, il est bon de faire remarquer que l'on n'applique pas toujours ce que l'on préconise. C'est comme ce bon curé en chair qui disait:

«Faites ce que je dis et non ce que je fais.» Il en est ainsi pour bien des parents qui ont de très bons principes mais qui ont beaucoup de difficultés à les mettre en pratique.

Liza, la première, parlera de cette éducation sévère dont elle a été l'objet, mais il n'en demeure pas moins qu'elle téléphone encore à sa mère deux ou trois fois par semaine, en plus d'aller la voir au moins deux fois par mois.

Si elle regrettait tellement cette éducation sévère, elle ne serait pas restée si attachée à cette mère sévère. Ce sont les enfants qu'on laisse un peu à leur propre gré qui deviennent les plus égoïstes et les plus distants. Il ne se passe pas un mois sans que je parle de ma défunte grand-mère, mentionnant sa forme d'éducation stricte qui m'a marqué et qui m'a plu.

Pourquoi laisser un enfant de treize ans faire ce qu'un autre de seize ans fait? Le décalage est là. Les moeurs ne sont pas les mêmes pour celui de treize ans et pour celui de seize ans.

À tout propos, on répète cette phrase célèbre et classique: «Les temps ont changé.» Quoi? La fille de seize ans couche avec son jeune cavalier de la semaine? Les temps ont changé? Non, c'est le désintéressement des parents qui a changé. On se libère, on libère les jeunes. On brûle les drapeaux, on brûle les soutiens-gorge et on brûle par le fait même les principes.

Je ne ferai pas le procès de la libération de la femme, cela viendra assez vite, mais je veux dire que ce principe de libération atteint le niveau de l'éducation. Laissons l'enfant à une optique plus élastique de la vie. Ne l'accablons pas de constants conseils. De cette façon, ça fait moins de travail et ça libère. Voilà un aspect de la libération.

Combien de temps faut-il à un enfant pour dire merci lorsqu'il reçoit quelque chose? Certains le feront rapidement, d'autres prendront des années.

À ce moment-là, il faudrait presque faire le procès de l'instruction dispensée dans les écoles pour en arriver à une conclusion plus complète.

Une institutrice me disait: «Si l'enfant dit «truck» au lieu de «camion», je le laisse faire si c'est ainsi que les parents appellent un camion.» Mais alors, que faire du mien à qui j'enseigne à dire «camion»?

Mais il ne faut pas passer de l'instruction à l'éducation, car ce mot obscur, «éducation», désigne une chose enseignée à la maison et qui ne peut être réalisée, n'en déplaise à Liza, que par une sévérité constante.

Les temps n'ont pas changé, ce sont les gens qui changent. Ils sont moins constants, moins persistants. Du temps de César, on éteignait un feu avec de l'eau et on n'a pas encore trouvé mieux, que je sache. Les temps n'ont pas tellement changé. On naît, on meurt. C'était la

«Cap» (surnom utilisé par les enfants) et ses cinq garçons. De gauche à droite: Jean-François, Éric, Jean-Philippe, François et Daniel.

La famille entière plus une couple de vrais amis. Ça fait du monde, ça, Monsieur!

Marie-Claude, la seule fille de la «gagne». En blaguant, elle et moi, nous disons parfois que la gent féminine brille par sa qualité et non par sa quantité... Marie-Claude est née sous le signe du Taureau, comme sa mère et sa fille Élizabeth. Ah! ces femmes nées au printemps...!

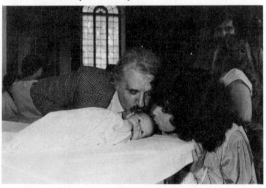

Les heureux grands-parents embrassent leur petite-fille fraîchement baptisée.
Pour la circonstance, la petite Élizabeth portait une robe de filet à l'ancienne, tricotée main par sa grand-mère maternelle, gonflée de joie et d'orgueil...

Quatre générations de femmes combatives dont trois ont déjà fait leurs preuves. Ma mère, Cécile, moi-même, ma fille Marie-Claude et mon adorable petite-fille Élizabeth.

Le clan Clément au complet. Derrière mon père et ma mère, posent pour la postérité: Jean et la petite moi-même, Madeleine et son mari Lou, Marie et son mari Viateur, Charles, Laurence et son mari Gabriel. Du bien bon monde!

Lors des noces d'or de mes parents, Mgr André Cimichella avait accepté de se joindre à notre famille. Maman dit y avoir cueilli des bénédictions qui lui suffiront pour le reste de ses jours.

même chose dans le temps du Seigneur, les temps n'ont pas tellement changé. Les gens, ils n'ont plus la même ténacité. Ils veulent libérer les jeunes parce qu'ils se sentent subjugués. Si on continue à libérer l'enfant, où en sera-t-il en l'an 2000? L'enfant ne vous en voudra pas pour ça. Soyez sévères mais justes.

Aujourd'hui, on parle de psychanalyse, de psychologie, tout pour ne pas avoir à implanter des règlements familiaux stricts. Je me souviens de Sam Levenson, un humoriste qui se spécialisait dans l'humour concernant les enfants. Il disait: «Chez nous, pour prendre une pilule, ma mère ne nous promettait pas une Cadillac, un voyage en Espagne. Sa méthode était plus simple et peut-être plus logique. Elle mettait la pilule sur le parquet, dans le milieu de la cuisine, et on se battait pour savoir qui arriverait le premier à la prendre.»

Aujourd'hui, on raisonne, on parle, il faut à tout prix du dialogue, comme dirait Liza. Certes, je suis pour une forme de discussion, mais une discussion basée sur l'expérience des parents et qui arrive à une conclusion logique, celle des parents. Si on dit encore: «Ne touche pas à ma belle potiche», pourquoi ne dirait-on pas: «Tu entreras à dix heures ce soir, tu n'iras pas à tel ou tel endroit», sachant que ces endroits sont malsains pour l'enfant. Si tous les parents agissaient de la sorte, les enfants auraient tout le temps voulu pour commettre leurs bêtises, mais ils auraient aussi le temps de se procurer, en cours de route, de la maturité.

Bon, je dois terminer ici car mes enfants réclament que j'aille leur chercher des friandises au restaurant en auto.

Vous savez, on a beau avoir de douces querelles, l'amour demeure plus fort que certaines divergences. Je t'embrasse, Liza.

Après l'opinion de Jean sur ce brûlant sujet de juillet, voici la mienne:

Voilà! Le sort en est jeté! Inutile de vous donner un lumbago en vous collant l'oreille au trou de la serrure pour entendre les discussions des voisins, elles vous arrivent «toutes garnies» en noir sur blanc.

Face à mon mari entouré de son nimbe de popularité, je me sens un peu comme la vendeuse d'olives dans l'Ancien Testament. Non? Ça ne fait pas vibrer vos clochettes de la connaissance? C'est en plein ça!

Je suis Élizabeth, reine du foyer, et mon front est garni d'une belle paire de cornes de Taureau plantées sur une tête que mon époux qualifie de dure (pour utiliser ici un terme poli...) mais que je considère simplement comme solide. Je n'ai rien de la girouette.

Vous pensez qu'on a des prises de bec? Que non! Des corridas! Je fonce résolument dans les arguments qu'il me Balance tout en prenant le temps de voir clair dans toute la poussière qu'il soulève à grands coups d'emportements. Si je n'y ai pas encore laissé d'oreille et si lui n'a pas encore été encorné, c'est qu'au fond de nos supports à cheveux d'acier dérive un petit nuage d'humour, tout rose et tout sourire.

Dernièrement, nous discutions ferme de l'éducation des enfants, et là, croyez-moi, ma lessiveuse a vu passer trop de paires de jeans pour que le sujet me soit parfaitement inconnu. Je n'oserais jamais penser que je distribue à notre progéniture une éducation parfaite (qui peut s'en vanter?) mais je fais mon possible avec les moyens dont je dispose. Que peut-on demander de plus? Ah! Je viens de peser sur le bouton de la discorde!

«Ce que tu fais, ce n'est pas ça! Absolument pas!»

Le torse bombé, le verbe haut comme au temps de ses galons de lieutenant de l'armée, du haut du pont du navire familial, le père de nos enfants clame son autorité, lance des ordres et ne souffre aucun écart. Ça me rappelle ma propre éducation, et depuis, le fleuve Saint-Laurent a vu plusieurs générations de mouettes se mouiller la panse dans ses eaux. Si Freud me voyait comparer ma mère à mon mari, il me coifferait sans doute de tendances douteuses à moins qu'il ne me considère comme un cas...

Écartelée entre les valeurs acquises dans ma jeunesse (valeurs qui ne tiennent pas davantage aujourd'hui que ma mise en plis d'hier) et la liberté exagérée actuelle, j'essaie de me mettre à la portée de nos jeunes tout en gardant les bases essentielles et normales pour voir grandir du «bon monde». Le seul moyen que j'aie trouvé, c'est le dialogue. Je parle avec eux, j'essaie de leur mettre du plomb dans la tête pour éviter qu'ils ne se le tapent dans l'aile. Je leur fais confiance, je leur donne de la corde, mais ils savent que je suis continuellement au bout de la ficelle, prête à défaire les noeuds et à en raccourcir le débit... en leur expliquant pourquoi.

Je me base sans aucun doute sur mes propres réactions (n'est-ce pas ce que nous faisons tous?), je n'ai jamais réussi à accomplir quelque chose de valable si je n'en comprenais pas le sens. Mais une fois cela acquis, une fois que j'y crois, je plante solidement mes quatre pattes de ruminant dans le sol et je peux accomplir des tours de force. Prisonnière d'une situation à laquelle je ne crois pas, je garde l'oeil vague et continue tranquillement de brouter les marguerites du pré qu'on m'a assigné, mais je rumine inlassablement des pensées de trèfle à quatre feuilles. Si on a raison, qu'on me fasse comprendre pourquoi les marguerites sont ce qu'il y a de mieux pour moi, et, après avoir fait planer quelques galettes de terre avec mes sabots, j'en conviendrai et je me ferai un délice des pétales blancs et des petits coeurs jaunes, laissant le trèfle à ceux qui ont l'estomac pour le prendre. Il me semble tout à fait évident qu'il en soit de même avec les enfants. Il faut comprendre et croire en ce qu'on fait.

Quelle est la meilleure façon de protéger un enfant de la noyade? Lui interdire de s'approcher de l'eau ou lui apprendre à nager? Gros bon *sens, me semble-t-il. Faut-il leur interdire l'accès des rues ou leur montrer à évoluer dans la circulation? Faut-il les menacer de toutes les damnations s'ils fument un joint ou leur en expliquer la portée? Faut-il interdire à sa fille d'avoir des familiarités avec ses copains ou lui inculquer le respect de la personne en commençant par soi-mêmе?*

Parler! Parler! Leur expliquer! Leur faire comprendre! Et, au besoin, sévir, mais en leur laissant encore comprendre que c'est par amour pour eux.

«Tu es trop molle», que je me fais dire. Je soutiens plutôt que je suis calme. Je ne suis pas comme une certaine Balance de ma connaissance, qui, versant continuellement d'un côté à l'autre de son pivot, laissera un beau jour un rejeton lui faire de la danse disco sur le gros orteil tout en mâchant la gomme qu'il lui achète à plein sac, et, le lendemain, sortira la loupe et le porte-voix pour chercher du poil sur les oeufs.

Je dois avouer que ces déploiements tuent dans l'oeuf (chauve, évidemment...) la monotonie quotidienne que j'apporte sûrement avec mon calme et ma stabilité. Vous le constatez, nous nous complétons à la base même si ça occasionne des feux d'artifice et pas forcément à la Saint-Jean-Baptiste!

Notre jeunesse a été prisonnière d'une sévérité excessive qui, dans bien des cas, a brimé le côté positif de nos personnalités respectives (surtout pour les filles). Nos enfants sont pri-

sonniers d'une liberté excessive dont ils ne savent souvent quoi faire mais qui leur permet, ou de faire les pires bêtises, ou, s'ils le veulent et si on les appuie, de développer leurs talents et leurs aptitudes de façon beaucoup plus positive.

Leur révolte est plus ouverte que la nôtre, ils se permettent des licences qu'on n'aurait jamais osé prendre; c'est qu'ils ont simplement laissé tomber la dose d'hypocrisie qui nous servait à contourner l'obéissance sans condition. Si je règne sur mon foyer, je n'en suis pas moins une souveraine accessible, l'amie et souvent la confidente de mes sujets. J'essaie, non pas d'imposer mon jugement, mais de guider le leur, et, la plupart du temps, ça marche. Toutefois, il faut que j'avoue que si le raisonnement fait merveille avec certaines jeunes têtes, avec d'autres, il est moins efficace. Il faut de la «poigne». Dans ces cas-là, j'apprécie beaucoup la main de fer du «capitaine» car, quand il laisse tomber la loupe et le porte-voix, il sait donner des coups de barre très efficaces.

Il n'est déjà pas si loin, le temps où on se retrouvera seuls tous les deux: moi, les quatre pattes cimentées dans la tourbe, pendant que lui, ma grande Balance, continuera à osciller au rythme du temps qui passe. On continuera à se dire l'un l'autre qu'on ne l'avait pas en matière d'éducation, mais qu'après tout on n'a pas si mal réussi.

Je sens qu'à ce moment-là nous bomberons tous les deux le torse, fiers de l'ouvrage accompli.

Avouez que vous avez là une bonne idée du couple que nous formons. «Ils vécurent heureux et eurent beaucoup d'enfants» serait quand même une description trop brève. Les événements marquants s'étant souvent chevauchés les uns les autres, comme une coiffure ébouriffée, je vous livre quelques traits qui ont marqué nos treize ans de vie commune.

Épi (de cheveux...) numéro un: les déménagements.

S'il est probable que certains de mes ancêtres ont porté la plume comme chapeau, quelques aïeuls de Jean ont dû passer leur vie à se promener en caravane. Parmi nos domiciles, celui qui s'est mérité la médaille d'or a duré trois ans. Un record! Nous avons habité à Longueuil (à deux endroits différents), à Saint-Hilaire, à Brossard, à Laval (à deux endroits différents), à Sainte-Adèle (à trois endroits différents) et enfin à Boucherville, où nous avons déjà effectué cinq déplacements. Quatorze fois en treize ans, qui dit mieux? Ayant parfait mes connaissances dans l'art de remplir et de déballer des boîtes avec une méthode consommée, je viens de jeter l'ancre. Je ne bouge plus et j'attache mon gitan à mon *teepee*!

Épi (de la même sorte) numéro deux: la beauté et la solitude des Laurentides.

Sainte-Adèle. Une maison isolée sur un pic de montagne, vue superbe sur la vallée engorgée d'arbres (à moins que les nuages trop bas n'enveloppent tout de brume), une femme et un enfant tripotent dans le carré de sable pour la nième fois. Pas de voisines avec lesquelles échanger des discours de cuisine et pas d'enfants pour partager les jeux de Jean-Philippe. Notre famille se composait alors de quatre personnes puisque ma fille habitait avec nous. Toutefois, elle passait ses semaines à la Polyvalente, et Jean, alors au service de Télémétropole, devait partir tôt le matin pour ne rentrer que tard en soirée, et ce, sept jours par semaine. Un enfant de deux ans, c'est un trésor mais ça n'apporte pas de conversation suivie, ça ne peut pas partager comme un adulte. Bref, nous étions presque en ermitage.

Outre la rédaction de mes textes et l'ouvrage ménager, pour pousser sur le temps qui semblait greffé sur un point d'orgue, j'ai déboisé et brûlé tout ce qui encombrait notre terrain fraîchement déboisé. Et puis j'ai tricoté. Grand Dieu! ce que j'ai tricoté! Des robes longues que je n'ai jamais portées, des châles que j'ai donnés, des vêtements d'enfant que j'ai vendus à une boutique. Pour ma santé mentale, il fallait que j'agisse, que j'apprenne, que j'invente. J'achetais les livres de tricot comme les hommes achètent le *Playboy*.

Choisissant fort mal son temps, mon Roméo a rompu la hampe de ses bonnes intentions, et le drapeau de la sobriété s'est retrouvé dans la poussière (pour ne pas dire dans le jus!). Pour une personne prisonnière de l'alcool, la rechute fait partie du cheminement normal, mais pour l'autre, le ou la partenaire, c'est difficile à accepter, surtout quand on a eu la naïveté de croire en une guérison subite et miraculeuse. Et puis la rechute a eu des petites soeurs, me laissant complètement désemparée.

J'ai pleuré, crié, boudé, menacé, fait et défait mes valises, autant de réactions aussi inutiles qu'épuisantes.

Lors de la dernière crise, remontant à plusieurs années, j'ai décidé d'arrêter de brailler sur mon sort et d'agir positivement. Après avoir réfléchi, et lu de nombreux bouquins sur le sujet, j'en suis arrivée à la conclusion que chacun avait le droit de vivre sa vie à sa guise. Si une personne décide de se tuer dans la boisson, c'est son problème; libre à son partenaire de l'accepter ou non, ce qui est aussi son droit propre. J'ai donc mis Jean au courant de ma nouvelle façon de penser, le laissant entièrement libre de sa conduite. Je le reconnaissais maître de sa vie, et, en même temps, je m'établissais maîtresse de la mienne. Il pouvait toujours se noyer dans le cognac, je n'allais pas boire la tasse dans mes larmes.

En pareil cas, la sobriété n'est sûrement pas facile, et Jean a dû faire des efforts immenses pour en arriver à nager avec plaisir dans le Pepsi et l'eau Perrier. J'apprécie la force de caractère dont il a fait preuve et je n'ai jamais regretté d'avoir défait mes dernières valises. La pensée et l'action positives peuvent vraiment accomplir des choses extraordinaires.

Épi (du même ordre) numéro trois: la famille s'agrandit.

En cet été 1973, toujours résidente du pic de montagne, j'ai reçu la visite des aînés de Jean: Jean-François et Daniel, ainsi que de mon fils François, qui venaient passer quelques semaines de vacances. Les premiers vivaient toujours avec leur mère, atteinte par la maladie, et le dernier demeurait encore à Joliette, où il était malheureux. Double coup du sort: l'ex-épouse de Jean est partie pour ce monde qu'on dit meilleur, et mon fils, qui avait alors douze ans, pleurait à chaudes larmes en pensant à son retour.

Conclusion: subito presto, notre foyer s'enrichissait de quatre garçons, demeurant chez nous en permanence. J'étais heureuse de donner aux petits Morin l'occasion de vivre de nouveau avec leur père, et la présence de mon fils comblait mon amour maternel. Par ordre d'âge, nous avions donc six enfants: Jean-François, Marie-Claude, Daniel, François, Éric et Jean-Philippe. Chacun a dû y mettre du sien, et, malgré les heurts inévitables causés par des éducations différentes et des antécédents divers, en dépit du tact et de la délicatesse avec laquelle il fallait manoeuvrer tout ce petit monde en passant le papier sablé numéro un sur les escarmouches, j'ai fait le maximum pour que nous devenions une vraie famille. Il y eut des étincelles, des feux d'artifice, des orages fracassants, des arcs-en-ciel, du soleil radieux, de la brume, enfin tout un éventail de tensions atmosphériques diverses qui jouaient d'un caractère à l'autre avec plus ou moins de chagrin et de bonheur. N'est-ce pas la même chose dans une famille normale?

Devenus plus tard bouchervillois, la maison était remplie de T-shirts dispersés aux quatre vents et d'étudiants faisant presque la queue pour faire claquer la porte du réfrigérateur. Mon occupation de mère me prenait presque tout mon temps, et les textes et le tricot me servaient toujours de soupapes. Il fallait que mes patrons de tricot soient complexes, chaque pièce représentant un défi, une connaissance nouvelle. En moi, une plaie demeurait inguérissable: la perte du monde de la chanson. Devenue femme mûre, je savais qu'aucun retour n'était possible et je me croyais carrément incurable. Et un point à l'envers, et un point à l'endroit...

Trop prise par le foyer, je ne connaissais même pas mes voisines immédiates et je n'avais pas d'amies, personne pour parler chiffons. À la maison, le monde masculin empiétait nettement sur les deux porteuses de jupes de la place. La télévision était branchée à perpétuité sur toutes les émissions mettant une balle ou une rondelle en vedette. Période difficile. J'avais souvent une envie folle de parler avec une femme, et quand l'occasion se présentait, je devenais un véritable moulin à paroles.

Épi (si vous ne le savez pas...) numéro quatre: les départs.

Les enfants grandissent très vite. En 1976, Marie-Claude, alors âgée de dix-huit ans, quittait la maison, suivie de près par les deux aînés de Jean. Ils étaient devenus majeurs et en mesure de prendre leur vie en main. Les jeunes d'aujourd'hui sont audacieux. À cet âge, j'étais encore enrubannée comme un cocon dans le cordon ombilical! François (oui, je sais que c'est mêlant: Jean-François, François... on ne pouvait pas prévoir, quoi!) quitta lui aussi le nid familial, si bien que nous sommes redevenus une nichée de quatre personnes, ce que nous sommes encore aujourd'hui et ce qui a causé quelques déménagements. Maison trop petite, maison trop grande, et allez, le gitan! Nos oiseaux volent de leurs propres ailes mais viennent souvent se réchauffer dans le giron de leurs parents, au plus grand aise de ces derniers.

Ma fille prit époux en 1977. Très «mère de la mariée» dans ma robe gris perle, je n'ai pas fait couler mon rimmel comme la coutume le veut. J'étais simplement fière et heureuse. La brisure de la séparation avait eu le temps de se cicatriser.

Quelques mois plus tard, elle devenait porteuse d'un bébé tandis que moi je trimbalais un kyste à l'ovaire, nécessitant opération. À quarante et un ans, une bosse indue qui fait une apparition sournoise n'est pas sans causer d'inquiétude. On ne connaîtrait la nature du nodule qu'une fois le bistouri rendu sur les lieux; peut-être faudrait-il m'enlever les ovaires et l'utérus, m'avait dit mon gynécologue, le docteur Lise Fortier. Voilà que la ménopause frappait à la porte! Cette révélation douloureuse, amplifiée par mon rôle de grand-mère à court terme, m'annonçait brutalement que j'avais quitté la vallée ensoleillée de la jeunesse pour m'engager sur la pente ombragée de la vieillesse. Quel coup! Je me sentais tout de go expulsée de la section «vivante» de la société et invitée à me joindre au groupe de femmes qui, par bon goût (tilt!), se doivent de devenir des présences discrètes: je me sentais vieille! Toutes les femmes traversent cette phase de prise de conscience des années qui passent à un rythme fou, période critique qui se situe entre trente et cinquante ans. Comme c'est pénible! Une fois cette crise de maturation forcée passée, on se sent plus jeune que jamais. C'est bien! J'ai déjà vécu ma vieillesse, elle est maintenant derrière moi. Adiós!

Mon opération a été bénigne, pour ne pas dire insignifiante. Un petit kyste jaune (en existe-t-il à rayures?) qui tenait à peine à l'ovaire et qu'on a fait sauter en moins de deux. Rien de dramatique.

Ma fille donna naissance à une adorable petite fille qu'elle baptisa Élizabeth et qui eut la présence d'esprit (!) de naître le vingt-sept avril, soit deux jours avant mon anniversaire. Comme cadeau, personne ne battra jamais ça!

Et puis, j'ai réfléchi (ça m'arrive souvent...). Une femme de quatre-vingt-dix ans peut très bien n'avoir jamais été mère ni grand-mère, cela ne l'empêche pas d'être vieille. Le statut familial n'a rien à voir avec l'âge. Les années s'accumulent, mais l'âge se situe au niveau du coeur et de la tête. Je connais des vieux de vingt ans et des jeunes de soixante-quinze ans. Il y a toute une nuance entre être grand-mère et être mémère. Pas de «mémèring» pour moi, non merci! Je suis une jeune grand-maman, très fière de ma situation!

Mariés en 1929, mes parents célébraient en 1979, cinquante ans de vie commune. Leurs noces d'or! Nous, les cinq enfants, voulions à tout prix souligner cet événement et cherchions une façon adéquate de le faire.

Une réception dans une salle anonyme? Papa et maman ne s'y seraient pas sentis à l'aise. Il fallait trouver autre chose, mais les idées se faisaient rares.

La lumière se fit à l'occasion d'un deuil dans la famille. Mon oncle Lucien, frère de maman, venait de partir, emporté par un cancer du poumon, et, au salon mortuaire, j'y rencontrai des cousines, des oncles, des dizaines de personnes qu'on ne croise que dans ces circonstances. En rentrant à la maison, je criai (c'est exactement ce que j'ai fait!) à Jean: «Je l'ai! La famille, on attend toujours une situation triste pour se réunir, et c'est dommage. Pourquoi ne pas organiser un grand rassemblement joyeux, pour une fois? Un pique-nique! Tout le monde apporterait sa boustifaille; ainsi, pas de frais onéreux et nous pourrions inviter tous les Clément et les Valois ainsi que les personnes rattachées à la famille d'une façon quelconque.»

L'idée plut à ma soeur et à mes frères, tandis que nos parents étaient déjà remplis d'émotion rien qu'à penser à de telles retrouvailles. Forte de mon expérience de recherchiste, je me chargeai des invitations tandis que Gabriel préparait son terrain de Saint-Jean-de-Matha pour accueillir tout ce beau monde. Nous nous mîmes tous de la partie afin que la fête soit réussie et nous avons prié bien fort pour que la température soit clémente. En cas de pluie, le projet tomberait à l'eau au sens propre et au sens figuré du terme.

La veille du grand jour, je ramassais, sous une pluie glaciale, des fleurs sauvages pour en faire des corbeilles suspendues aux arbres, pendant que les garçons s'affairaient à placer les tables à pique-nique sur la pelouse rasée de frais. La température avait été maussade toute la semaine et notre optimisme était acculé au pied du mur.

Le matin du onze août, en m'éveillant, j'avais tellement peur de la température que je n'ouvris que la moitié d'un oeil. Il faisait un soleil radieux! Splendide!

À l'heure du lunch, près de deux cents personnes devisaient joyeusement autour des jubilaires émus et heureux. Ce fut une journée merveilleuse, une des plus belles de leur vie, selon nos parents.

Si vous avez l'esprit de famille, essayez notre recette; je vous garantis à l'avance une bonne grosse portion de bonheur!

CHAPITRE IX

Vous détestez le repassage? Vous voulez un moyen magique pour éviter les indigestions de fer à repasser? Voici ma recette: une bonne paire d'écouteurs branchés sur le tourne-disque, qui se fait un plaisir de cracher tous les décibels qu'on lui demande. Après avoir fait un choix judicieux de disques, je pousse la fantaisie jusqu'à m'installer un micro sous le nez (non! pas accroché au nez! placé devant!), ce qui me permet d'entendre la sonnerie du téléphone et de me taper des duos de luxe avec des types comme Serge Lama ou Gilbert Bécaud. Le repassage passe, Madame! On ne le voit pas!

Cette extravagance de l'oreille et de la corde vocale m'a conduite tout droit au métier de parolier. Partant d'un fer à repasser, avouez qu'il faut avoir l'imagination fertile!

En tant qu'«écrivain dans l'ombre» (francisons, quoi!), j'avais déjà écrit quelques chansons pour Jean, sans arriver au sensationnel. L'exercice avait été laborieux et la muse me refusait sa compagnie. Il aura suffi que je tombe sur un microsillon de Frank Mills et plus précisément sur la mélodie *The Poet and I* pour que ladite muse me saute dessus à pieds joints. J'avais une envie folle de mettre des paroles sur cette musique et la poésie germait dans ma cervelle comme une poussée de pissenlits au beau mois de mai. C'est ainsi que *Toi, le poète* a vu le jour sur ma feuille blanche.

Après avoir été autorisé par le compositeur torontois, le texte a dormi dans mon tiroir pendant une bonne année. C'est une chanson qui a mis du temps à éclore puisque Frank raconte que la mélodie elle-même avait déjà dormi pendant trois ans dans son tiroir à lui.

Outre le calme qui le caractérise, Frank Mills est un compositeur dont l'immense talent ne l'empêche pas d'être simple, chaleureux et extrêmement gentil. Ceux qui ont la tête enflée sont généralement ceux qui ne le devraient pas, c'est bien connu.

Par l'intermédiaire de Jean, je suis allée rencontrer Ginette Reno (qui est presque ma voisine) et je lui ai offert trois textes. Le hasard me réservait deux merveilles: premièrement, quelques jours plus tard, Ginette entrait en studio pour l'enregistrement de son album «Je ne suis qu'une chanson», et, deuxièmement, elle eut le coup de foudre pour *Toi, le poète*. Comme *timing*, ça ne pouvait pas être mieux! Mon départ sur le chemin des paroliers se faisait sur les chapeaux de roues!

Grâce à la mélodie superbe et à la voix magique de l'interprète, la chanson a connu le succès que vous savez. Ce que vous ignorez (mais pas pour longtemps car j'ai l'intention de vous le dire), c'est que Ginette venait de me guérir miraculeusement. Après avoir quitté le monde du spectacle, j'étais certaine que je sentirais toujours ce trou béant, cette tristesse au coin du coeur. Eh bien non! Ginette a tout effacé. À travers elle, je revivais la chanson, j'interprétais par personne interposée (et pas la moindre!)

et, aussi bête que ça puisse paraître, en assistant à son spectacle, je me sentais tellement proche d'elle que j'éprouvais ce serrement particulier de l'estomac qui est l'apanage du trac.

Lors de la préparation de son dernier album, «Quand on se donne», Ginette m'a rappelée, et j'ai travaillé de façon intensive avec elle et son pianiste, Alain Noreau. J'avais l'impression de savoir depuis toujours que je pourrais écrire pour elle. Il existe une longueur d'onde sur laquelle nous nous retrouvons et je crois que c'est au niveau de la sensibilité. Nous sommes nées toutes les deux sous le signe du Taureau, à un seul jour d'intervalle (avec un écart de dix ans, quand même!), et en serait-ce là la raison? Je crois aux bases fondamentales de l'astrologie.

Au fil des notes et des mots, une grande amitié s'est glissée entre nous deux. J'arrive difficilement à élaborer sur les gens que j'aime (ce que je dois me détester! je m'étale à pleine page!); leur valeur me semble si évidente qu'il me paraît superflu d'y diriger un faisceau lumineux. Après avoir tamisé mon amour débordant pour mes parents, mes frères, mes soeurs (en cours de route, j'en ai cueilli une deuxième: Jacqueline, la soeur de Jean, qui est aussi devenue la mienne), mon mari, mes enfants, je tire un peu l'abat-jour sur mon affection pour Ginette. Ses incroyables dons de chanteuse, vous les connaissez. Mais, par-dessus tout, cette femme a un coeur d'or et une chaleur humaine peu commune. Dans la vie privée, elle ne joue pas à la star, elle reste une femme comme toutes les autres, ce qui lui attire une pléiade d'admirateurs.

Au travail, elle est un véritable tourbillon dans lequel elle entraîne ses acolytes. Quand elle est axée sur la musique, inutile de venir lui parler de la chasse à la baleine ou de boutons de roses fanés sous l'attaque massive des maringouins. Elle s'enferme dans la musique comme un dompteur de fauves s'encage avec ses bêtes, et, sans se servir de fouet, elle ne la tient pas moins à sa merci. Après avoir travaillé quatre ou cinq heures par jour, elle sera accessible pour écouter les récits de baleines ou de boutons de roses, les confidences, et passera sans doute aux bouffonneries, qu'elle distribue à profusion, au plus grand plaisir des gens qui la côtoient. Elle a définitivement apporté beaucoup de soleil dans ma vie, et, dépassant le cadre des chansons, j'ai pour elle beaucoup d'attachement.

La muse s'attardant en ma compagnie, j'ai écrit par la suite plusieurs textes. Je l'ai fait habituellement pour le plaisir de la chose, parce qu'une musique m'inspirait, ou parce qu'un sentiment particulier s'attardait en moi, ou encore parce qu'à l'écoute d'une chanson américaine, j'avais le goût de traduire en français des idées particulièrement belles.

Ce fut le cas pour *Sweet Music Man*, de Kenny Rogers. Quelle belle chanson! Quelle sensibilité dans les paroles! En écoutant cette histoire du vieux musicien brisé, celui dont les plus jeunes furent les émules, j'ai pensé à Willie Lamothe, ce géant de la musique et de la chanson western québécoise, ainsi qu'à Patrick Norman, qui a eu l'occasion de travailler avec lui régulièrement à la télévision. Ces deux personnes collaient au *feeling* de la chanson comme un timbre-poste fraîchement léché colle à son voisin. J'ai donc écrit *Mon vieux copain* et j'ai offert le texte à Patrick, qui l'a aussitôt endisqué, en hommage à Willie.

S'ajoutèrent ensuite de nouveaux textes pour Ginette, Johnny Farago, Shirley Théroux et René Simard.

Dans un cartable, j'accumule les feuillets sur lesquels dorment pour le moment des vers que j'offrirai, le moment venu, aux artistes susceptibles de les aimer, ou encore j'écris sur commande. J'adore trop ce métier pour rendre ma plume (non, je ne peux pas rendre les armes! je n'écris pas à la mitraillette, quand même!), mais je le trouve difficile.

Parmi les fleurs de l'art, les intrigues et les déceptions poussent comme du chiendent. Et c'est souvent toute une gymnastique pour arriver à se faire payer, ne serait-ce qu'en partie. Des auteurs cotés comme Diane Juster et Luc Plamondon brassent les droits d'auteur et ils ont parfaitement raison de le faire. On écrit, la plupart du temps, parce qu'on a le feu sacré, parce qu'on a un besoin déchirant de jeter sur papier les sentiments qui nous animent, mais si le portefeuille souffre de famine, il ne doit pas compter là-dessus pour prendre du poids. Les éditeurs et les artistes se plaignent de la pénurie d'écrivains (c'est du moins une litanie souvent répétée), mais quand on voit la façon dont ils les manipulent, il n'y a pas à s'en étonner. On se pâme devant les textes («Mais d'où sortez-vous? On a tellement de difficulté à trouver des paroliers valables!»), on vous assure que la chanson va être faite par tel artiste («C'est un texte si beau!»), qu'on en fera la distribution en France ou au Japon (on devrait plutôt parler d'Espagne et de châteaux), et on vous fait retravailler, retoucher, fignoler. Le résultat est positif dans certains cas (Dieu merci!), mais, trop souvent, ce texte que vous avez écrit en y mettant vos tripes va simplement rejoindre un paquet d'autres feuillets dans le fond d'un tiroir anonyme, à moins que, sous une main tout autant anonyme, votre papier n'attrape une permanente en chemin pour la poubelle. S'il n'était pas valable, on n'avait qu'à le dire carrément, non? Moi, quand quelque chose ne m'intéresse pas, je le dis ouvertement. Je commets l'erreur d'attendre la même chose des autres. Quelle erreur, en effet!

Ou encore, il arrive que le texte soit bon mais que les mot semés par la machine à écrire moisissent sur place, éliminés dans le choix final, ce qui ne me vexe pas.

Ce qui me dérange hautement, c'est qu'un autre auteur (pas à la hauteur) utilise la structure de «ma» chanson, y change des lignes ici et là (dont la ligne: «Paroles: Élizabeth Clément») et en fasse «sa» chanson. On ne peut rien faire contre ce genre de «crocheries» sauf se taper une indigestion.

À force de se battre et de se ramasser le nez dans la poussière des déceptions, plusieurs auteurs et compositeurs de talent abdiquent, et c'est dommage.

Ce métier, je n'ai pas du tout l'intention de le laisser tomber. Je sais que j'aurai encore des coups bas, mais les bonheurs que j'y récolte ont une intensité qui me pousse à remiser à l'arrière-plan les aspects négatifs de ce domaine. Je suis certaine que le destin me réserve encore d'autres amitiés extraordinaires, d'autres joies inattendues, via le métier de parolier. Il ne pourrait en être autrement.

En cet été 1979, période où naissaient mes premières chansons, je me suis aussi mise à travailler pour Solange Harvey, auteur du «Courrier du Bonheur» dans le *Journal de Montréal*. Elle était alors attachée au poste CKVL, et, son horaire étant très chargé, j'ai rédigé pour elle les réponses du journal. Disons qu'elle préparait la pâte (dont elle connaît et mesure consciencieusement les ingrédients) et que moi j'y passais le rouleau. Au magnétophone, elle me dictait les données, auxquelles je restais toujours fidèle tout en partageant avec elle les chagrins et les problèmes de ses correspondants. Vous vous êtes déjà demandé si ces lettres sont authentiques? Je peux vous l'affirmer. Certains cas sont nettement pitoyables.

Solange est devenue elle aussi une grande amie. Entre deux réponses, elle me racontait des choses qui, la plupart du temps, me faisaient pouffer de rire. Nous avions toutes les deux une correspondance bizarre. Pour répondre à son placotage sur ruban, j'ajoutais à mes feuillets de travail une page ou deux de bavardage personnel. Encore aujourd'hui, quand je reçois une lettre de Solange, qui s'est exilée dans une magnifique maison canadienne à Sainte-Adèle, c'est sur ruban. J'ai beaucoup d'admiration pour son courage, sa force de caractère, sa vision positive de la vie, vision qu'elle partage avec ceux qui en ont besoin.

Pour meubler mes temps creux (m'en restait-il?), et sentant mes articulations quadragénaires un peu réticentes, je réalisai qu'il était plus que temps de me mettre au sport.

Jean-Philippe faisait partie d'une équipe de base-ball et, comme il était receveur, je l'aidais à s'entraîner en lui lançant la balle. Je m'amusais presque autant que lui.

Jean, toujours fertile en idées originales, dit que nous pourrions organiser une partie: mères contre fils. Les autres mamans ont trouvé l'idée amusante et, sous les instructions de mon mari et de l'aîné de nos fils, les «Mèrabatt» ont rencontré leurs garçons dans une partie arbitrée par Pierre Rinfret, de CJMS. Nous avons effectivement connu la défaite (le contraire eût été désastreux pour le moral des fistons...) et, malgré nos courbatures qui n'ont épargné que les oreilles, nous nous sommes follement amusées. Tant et si bien que nous avions presque toutes envie de renouveler l'expérience. Mais à notre âge... Quoi, à notre âge? On a encore du «fou» à lâcher, je peux vous le jurer!

À Boucherville, les sports d'équipe étaient très bien organisés, du moins pour les enfants, les hommes et les jeunes filles. Les gens de l'âge d'or jouissaient aussi de loisirs bien organisés, mais pour nous, les femmes d'âge moyen: rien. Il fallait y remédier, et sur-le-champ. Ayant pris les choses en main, j'ai écrit au directeur des loisirs de la ville afin de demander si on pouvait réserver un terrain.

Au printemps 1980, suite à sa réponse favorable, je suis passée au recrutement. Quatre équipes furent rapidement formées: les Cléopâtre, les Joséphine, les Marie-Antoinette et les Pompadour. Une cinquantaine de femmes de trente ans et plus apprenaient (ou réapprenaient, dans certains cas) les rudiments de la balle molle. Les spectateurs s'amusaient ferme, mais certainement moins que les joueuses.

Maintenant affiliée à l'Association de Balle molle féminine de Boucherville, la ligue fonctionne depuis deux ans et le calibre s'est amélioré de façon surprenante. Les femmes jouent avec une détermination peu commune et inconnue des plus jeunes.

Débordant les cadres du sport, des amitiés se sont nouées entre ces femmes d'occupations et de milieux divers. On y trouve aussi un esprit d'équipe qui ne ressemble pas aux autres.

Comme soupape, il eût été difficile de trouver mieux et plus sain. Il s'agissait d'y penser et de se donner la peine de faire les premiers pas. N'est-ce pas toujours comme ça dans la vie?

Dans mon cas, j'avais certes besoin d'une soupape. En plus du surcroît de travail, des épines acérées me rongeaient le coeur, au niveau familial. Dans les familles nombreuses, les joies se multiplient mais les peines en font autant. L'existence est ainsi faite. Quand on aime, on souffre avec ceux qui ont mal et on communie au bonheur des autres. Sur certains plans, tout allait merveilleusement bien, et, sur d'autres, tout allait affreusement mal. Le fait de courir à toutes jambes et d'apprendre quoi faire avec une balle qu'on vient à bout de coincer au fond de son gant apportait à ma petite cervelle une ration d'air pur qui freinait les risques d'intoxication.

Au terme de la saison de balle molle de l'été 1980, ma fille me félicitait de ma taille svelte, l'attribuant à la pratique du sport. Pourtant, si j'avais perdu sept kilos en trois mois, ce n'était malheureusement pas dû à l'exercice physique. J'ignorais encore le mal qui me rongeait, cette maladie qu'on croit toujours destinée aux autres tant qu'on n'en est pas victime soi-même.

Mon monde était sur le point de s'écrouler. Implacable, insidieux, le cancer était là.

Deuxième partie

Face au cancer

CHAPITRE X

C'est en juin que mes troubles physiques ont commencé à poindre. Dix ou quinze fois par jour, je sentais le besoin de me rendre à la salle de toilette. Pour presque rien, la plupart du temps. Après une selle liquide insignifiante, le malaise se calmait pour me revenir peu de temps après. Dérangement passager, pensai-je. Logiques dans les circonstances, les hémorroïdes ne tardèrent pas à m'offrir un bouquet dont je me serais bien passée. Je me souviens de certaines parties de balle molle pendant lesquelles le seul fait de courir devenait un supplice, et, en attendant mon tour au bâton, j'enlignais soigneusement les parties sensibles de mon anatomie avec les espaces entre les planches du banc des joueuses.

Après un mois d'inconfort, je demandai conseil à des personnes versées en physiologie. Surcharge de travail, stress, microbes, mauvaise façon de respirer en sprintant entre deux coussins de balle molle, problème musculaire, autant d'hypothèses susceptibles d'éclaircir la situation. Comme le début de mon brouhaha interne coïncidait avec celui de la saison de balle, j'y voyais un rapport certain.

En juillet, les choses n'allaient guère mieux. J'avais perdu du poids, mais, encore une fois, le sport encaissait toutes les accusations. De plus, j'étais souvent fatiguée, mais j'avais plusieurs raisons de l'être.

Voulant passer le test PAP (ce que toute femme de mon âge se doit de faire régulièrement, c'est connu), je décidai d'aller consulter un médecin et d'en profiter pour lui parler de mon état. Ne connaissant personne en particulier, je choisis une femme pratiquant la médecine générale. J'aime bien les femmes qui se prennent en charge, et celles qui exercent un métier ou une profession me semblent de celles-là.

Quelle déception! Après un examen plus que sommaire et une écoute indifférente, elle reprit place à son bureau pour griffonner dans mon dossier. Il me fallut insister pour qu'elle revienne dans la salle d'examen afin de palper mes seins, ce qui est pourtant de routine en pareille circonstance. Tout était parfaitement normal au niveau de cet examen, et elle me remit une prescription de médicament apte à soulager mon bouquet, sans attacher la moindre importance à mes doléances concernant mes caprices intestinaux.

Je me suis alors dit que mon état ne devait susciter aucune crainte et que tout ça n'était qu'insignifiance. Autrement, elle y aurait vu, n'est-ce pas?

Insignifiante ou pas, la situation était tenace; je passais ma vie les fesses serrées, ce qui n'est pas du plus grand confort. Les hémorroïdes s'étaient un peu retirées mais restaient toujours prêtes à faire une sortie à grand déploiement. Je leur ai d'ailleurs attribué les quelques filets de sang découverts à l'occasion. Elles m'en faisaient voir de belles! Le besoin d'évacuer me réveillait maintenant la nuit, et Jean se plaignait qu'en soirée, je passais plus de temps à la salle de bains qu'en sa compagnie. C'était pres-

Sans commentaire.

Je vous présente Cybèle, qui n'a rien à voir avec le «Couteau» de mon enfance. Forte de son championnat lors d'une exposition féline, elle se paie tous les caprices et joue la snobinarde avec les deux autres matous de la maisonnée.

Séti est un vieux garçon, himalayen selon son pedigree, et ses pattes arrière en arc de cercle l'ont toujours éloigné des concours.

Poussy est le dernier arrivé, et si son nom n'a pas été tiré de la mythologie, c'est que ses papiers d'identité sont douteux... Comme la plupart des chats de gouttière, il est très câlin et de caractère plus agréable que ses congénères huppés.

Grand-maman Élizabeth, une des «Mèrabatt», aussi pleine de bonne volonté que de courbatures, et l'instructeur de l'équipe. Comme vous le constatez, il a évité les excès en limitant ses efforts... Pourquoi ne pas se mettre à l'aise!

que vrai. Mes bourrelets fondaient et je me sentais de plus en plus fatiguée. Trop de pain sur la planche, que je me disais, trop de tracas aussi. Il m'arrivait de me coucher en fin d'après-midi car je n'arrivais plus à faire mes journées d'un trait.

Un jour, pour calmer une articulation récalcitrante au niveau des vertèbres cervicales (mémère fait de l'arthrose...), je pris un cachet d'aspirine. Surprise! Pendant une heure ou deux, mes intestins se sont endormis. Bizarre! Sans comprendre ce qui se produisait, j'étais joliment contente d'avoir découvert un moyen de me soulager, ne fût-il que temporaire.

Quand le malaise réapparaissait et que j'essayais de donner suite à cette toujours insignifiante selle liquide, j'étais prise de spasmes (comme les spasmes d'estomac qui accompagnent les vomissements, mais à l'étage inférieur...) que je combattais en respirant «en chien» comme on l'apprend aux futures accouchées.

Jean me disait: «Mon Dieu, que ça a l'air de te fatiguer quand tu vas à la salle de toilette! Tu n'en sors plus et tu reviens le visage blême et étiré!» Ouais! C'était comme ça. L'aspirine aux quatre heures faisait maintenant partie de ma routine, et, les jours où je devais disputer une joute de balle, je calculais les heures dès mon réveil afin de pouvoir en prendre une juste avant la partie. Autrement, je ne savais jamais si je n'allais pas être obligée de quitter en pleine action. Je n'avais pas l'intention de rendre mon gant aussi facilement.

Je mangeais de moins en moins, et, d'ailleurs, je ne digérais presque plus rien. Les oeufs bloquaient, les fruits passaient de travers, les fritures plantaient leur tente au coin du foie, tout le système digestif semblait s'être donné le mot pour me compliquer la vie. Nerveuse, je me vautrais dans le café et les cigarettes. Brillante, va! Je continuais à espérer que les choses allaient se replacer mais il n'en était rien.

Un soir comme tant d'autres, je me retrouvai assise avec Jean devant un écran de télévision qui n'avait pour moi aucun intérêt. Pour meubler le temps, j'ouvris à tout hasard le dernier numéro du *Sélection du Reader's Digest*, et tombai sur un papier titré: «Plus forte que le cancer». J'ai lu et, au fil des lignes, j'ai senti un étau se refermer sur ma poitrine. À la fin de ma lecture, j'avais l'impression d'avoir reçu un coup de marteau dans le front.

Une femme, victime du cancer du côlon, y racontait son expérience. Passant par ses symptômes, une diarrhée insignifiante qui durait depuis trois mois (comme moi!), elle enchaînait avec le diagnostic médical, le cancer du côlon (non! je ne voulais pas!), son opération, une colostomie qui n'avait rien à voir avec l'ablation des amygdales, et enfin sa récupération quasi miraculeuse. Elle dénonçait les ravages causés par les cancers du rectum et du côlon, cancers beaucoup plus répandus qu'on ne le pense, ajoutant qu'il fallait être très vigilant quand quelque chose ne tournait pas rond.

Je n'avais jamais été aussi paniquée de ma vie! Que cette horreur soit simplement sur la liste des possibilités, c'était déjà trop! Je n'étais strictement pas prête pour ce genre de chose, je ne voulais pas souffrir et encore moins mourir! L'infirmité, non, ce ne serait pas pour moi! Un sac attaché à la paroi du ventre, quelle épouvantable perspective! Je réalisais fort bien que le cas de cette femme et le mien étaient deux cas différents, et, parce qu'elle avait couvé cette sinistre maladie, ça ne voulait pas dire que j'en faisais autant. Mais les symptômes se ressemblaient tellement!

Sans rien dire à Jean, qui m'aurait qualifiée d'«exagéreuse» et m'aurait dit que j'étais hantée par le cancer parce qu'il y en avait eu dans ma famille, j'ai avalé un somnifère et je me suis couchée. Le lendemain matin, l'étau m'étouffait de plus belle, j'étais complètement épouvantée. Je me sentais comme un immeuble qu'on s'apprête à dynamiter et qui tombera sous peu en ruines. Le doute me rongeait et je ne connais rien d'aussi terrible: la peur d'un inconnu monstrueux.

Il était clair que je ne pouvais pas rester comme ça. J'avais une peur bleue (marine) d'aller consulter un autre médecin et c'était pourtant la seule solution. Ou bien je n'avais rien de sérieux, et alors on allait me rassurer, faire disparaître ce sentiment écrasant, ou bien je souffrais d'une grave maladie, et dans ce cas je voulais qu'on y voie le plus tôt possible. Était-il déjà trop tard? Avais-je déjà manqué le bateau?

Je sentais le besoin de parler de mes craintes à quelqu'un, mais, en même temps, j'avais peur de faire de la peine, de plonger les gens dans l'inquiétude peut-être inutile si mon cas était bénin. Les seules personnes à qui je me confiai furent ma soeur Madeleine, Jean-François, l'aîné de nos fils, et Solange Harvey, la consolatrice des âmes en peine.

Plus tard, ma fille me reprocha de l'avoir tenue en dehors de mon désarroi. Elle aurait aimé pouvoir m'aider, ne fût-ce que moralement. J'ai probablement eu tort de vouloir trop la protéger mais je ne l'ai pas fait avec une mauvaise intention.

J'ai sans doute placé un nuage d'angoisse au-dessus de mes confidents, qui m'encouragèrent autant à consulter qu'à ne pas monter sur mes grands chevaux avant le temps. J'ai dit à Jean-François: «Si ce que j'ai est cancéreux, je continue à fumer. Au diable le reste! Si, par contre, je n'ai rien de sérieux, je fais un gros X sur la cigarette car je n'ai aucune envie d'être un jour aux prises avec un cancer du poumon et de repasser par un pareil enfer.» J'ai tenu parole tout en réalisant le non-sens de mon raisonnement. J'ai toutefois diminué ma consommation de nicotine et je veux l'abandonner complètement. Mon mode de vie subit des changements de taille et je me suis dit que j'entreprendrais une guerre à la fois.

Je pris donc rendez-vous avec un autre médecin, un homme, celui-là, et je lui racontai mon histoire de A à Z.

Des troubles intestinaux, il en voyait des dizaines à chaque semaine, et, en sept ans de pratique, il n'avait rencontré que deux cas graves. Après un examen rectal, il m'affirma, avec un petit sourire en coin, qu'il était certain à 96,9% que mes troubles étaient d'origine nerveuse. (Eh oui! Une autre femme dans la quarantaine qui perdait les pédales!) Toutefois, pour me calmer, il condescendait à me faire passer une série d'examens. Mes problèmes allaient rester comme anguille sous roche tant que je n'aurais pas surmonté mon état de stress. La salle de toilette resterait mon endroit de prédilection, je n'avais qu'à me faire à cette idée. M'y faire, m'y faire..., c'était presque décourageant, ça aussi, tant c'était pénible. De plus, je devais éviter les boissons trop chaudes ou trop froides, ainsi que le thé et le café, qui avaient des effets non désirables dans mon cas.

Je sortis de son bureau un tantinet rassurée et riche d'une bouteille de pilules pour les nerfs. Dès le lendemain matin, je commençais ma série de petits déjeuners à la tisane tiède... Faut être rendu bien bas!

Il n'en restait pas moins que mon comportement personnel me surprenait. Je n'avais jamais été le genre de personne à sauter les clôtures à reculons pour éviter les pépins, et voilà que je me payais un stress de luxe!

Ce médecin avait vraisemblablement raison. Quarante ans, la ménopause qui se glisse un pied dans l'encadrement de la porte, ça change le caractère, dit-on.

Encore étreinte par l'inquiétude, j'ai commencé à passer des examens et à prendre les pilules, lesquelles n'avaient comme seul effet que de me rendre somnolente. Du côté intestinal, aucun changement. Et puis j'ai traversé tous les bouquins du docteur Hans Selye. Si j'avais des «bibittes» dans les engrenages, il me fallait les extirper le plus tôt possible. Tirée des ouvrages de ce réputé spécialiste du stress, une phrase m'a marquée, se gravant à jamais dans ma tête; elle était d'ailleurs écrite en lettres majuscules: «PEU IMPORTE LA GRAVITÉ D'UNE SITUATION, IL NE FAUT JAMAIS LÂCHER.» J'en ai fait ma devise.

Analyses sanguines: parfait. Écographie du foie et des boyaux avoisinants: rien à signaler. Pour clore la série, il me restait à subir un lavement baryté et nous étions en finale de balle molle. Vous avez deviné que ces deux exercices sont parfaitement incompatibles. M'occupant d'abord des choses sérieuses (!), je votai pour les aspirines et la balle. Le stress attendrait, en compagnie du lavement baryté.

Pour célébrer notre anniversaire de mariage, en cette fin du mois d'août, Jean m'invita à la Saulaie, excellente salle à manger de Boucherville. Mon repas s'est limité à un filet de sole amandine qui s'est coincé dans mon estomac comme si j'avais avalé un filet d'arêtes (amandines, si vous le voulez!). Je «filais un petit coton», comme dirait ma mère, et j'étais mal disposée à accueillir l'idée saugrenue mais tout à fait romantique de mon mari.

Pour éviter que les enfants ne nous voient passer en automobile et se mettent à poser des questions, voilà que nous jouions à la cachette en sillonnant les rues de Boucherville. Nous avions mis le cap sur le Holiday Inn de l'île Charron. C'est gentil comme idée, hein? Une escapade à la Roméo et Juliette.

En s'inscrivant à la réception, j'avais le fou rire. Adresse? Juste en face, de l'autre côté du fleuve! Après dix ans de mariage, nous faisions l'école buissonnière, nous déguisant en amoureux clandestins. Pour ne pas ternir la joie de mon Roméo et gâcher la soirée, qu'il avait voulue particulière, je me suis tue sur mon estomac habité par le filet d'arêtes, mais comme je regrettais d'être en si piteux état! Nous sommes rentrés au bercail un peu plus tard et les enfants n'ont rien su de notre escapade. (Du moins, ce soir-là. Maintenant, c'est foutu!)

Avec deux semaines de retard, un certain mardi matin, je me présentai à la clinique médicale pour le lavement repoussé mais tout autant baryté. Je n'avais jamais subi cet examen mais j'en avais entendu parler dans des termes épouvantables. La journée préparatoire, ça, c'est autre chose; exercice tout à fait recommandé aux gens qui aiment la vie mouvementée. Moi qui étais toujours rendue à la toilette, cette fois, je n'y allais pas pour rien! En me rendant à la clinique, j'avais l'impression d'avoir la peau du ventre collée aux reins. Le lavement baryté en soi ne m'a pas impressionnée du tout. J'avais tellement l'habitude de la retenue!

Je retournai à la maison, heureuse d'en avoir fini avec tous ces examens.

Ma joie allait être de courte durée puisque, l'après-midi même, je recevais un appel téléphonique m'avisant que le médecin désirait me voir en soirée. L'étau se resserra de nouveau. Ou on voulait définitivement me rassurer ou quelque chose n'allait pas. Jean n'était pas à la maison, et je me sentais extrêmement petite et fragile, prête à me briser en pièces détachées.

À la clinique, on m'attendait presque avec un tapis rouge. Mauvais signe. Mon médecin allait me voir tout de suite, les autres patients attendraient. Assise dans la salle d'attente, je vis un médecin inconnu venir s'informer si j'étais arrivée. Deux médecins m'attendaient donc et j'avais compris.

Mon médecin me parla brièvement, m'annonçant que le docteur Caussignac, consultant de l'hôpital Notre-Dame, allait me faire des examens plus poussés. J'ai changé de bureau et de médecin pour répondre à un tas de questions et être examinée avec un appareil prévu à cet effet, un sigmoïdoscope. Après cet exercice, il déclara qu'il souhaitait me voir entrer à l'hôpital dès le lendemain. Il m'y attendrait.

Mes hauts cris (jaillis d'une voix étouffée) ne l'ont pas impressionné du tout. Il a pourtant été très chaleureux et a répondu à mes questions avec beaucoup de tact. J'ai évidemment tendu la perche du côté du cancer et il m'a rassurée (était-ce possible?) en me disant que, le cas échéant, j'étais à un stade guérissable. Il me dit très chanceuse d'avoir eu des symptômes et très sage d'avoir consulté. Ça me faisait une belle jambe! À l'hôpital, on passerait à des examens encore plus spécialisés qui permettraient de connaître la nature exacte de cette tumeur découverte non loin du rectum.

Tremblante, je suis rentrée à la maison sous la pluie (comme dans les films d'horreur quand un drame va se produire) et j'ai téléphoné à Jean, le priant de revenir le plus tôt possible. Il me semblait impensable qu'à si brève échéance je puisse laisser tomber la maisonnée et mes écritures.

Avec Jean, j'ai discuté de la situation en omettant la possibilité du cancer car je ne voulais pas l'effrayer inutilement. Si les examens s'avéraient négatifs, il serait toujours temps de lui raconter mes peurs passées; sinon, il apprendrait la vérité bien assez tôt.

Bon! On allait s'arranger; après tout, ce n'était que pour quelques jours, une semaine au maximum selon les probabilités. Par un coup de chance, Jean-François se trouvait en période de vacances, se préparant à passer ses examens de comptable agréé. Il pouvait venir passer ces quelques jours à la maison pour s'occuper de ses jeunes frères. L'écriture devrait attendre.

Les somnifères m'ont encore fait crouler dans le sommeil, mais pas assez profondément pour que j'évite de me lever une couple de fois pour me rendre à la salle de bains. Tel un requin encerclant sa proie, la maladie formait des cercles de plus en plus étroits autour de moi.

Le lendemain après-midi, je me présentais avec mon mari et ma valise à l'urgence de l'hôpital.

CHAPITRE XI

Le docteur Caussignac m'avait dit qu'il serait là et il tint parole, m'accueillant subito presto et me priant de faire mon admission. Mes genoux jouaient frénétiquement des castagnettes et j'avais un noeud de macramé grand format au creux de l'estomac. Ce noeud tenait tellement de place qu'il me semblait que le médecin le sentirait en me palpant l'abdomen.

Dans ce secteur de l'urgence, on m'installa dans une chambre comprenant trois ou quatre lits séparés par des rideaux, derrière lesquels j'entendais des lamentations et des nausées bruyantes. Quelle pitié que ces territoires d'urgence!

Le docteur Caussignac me fit un court examen, confirma à Jean qu'on allait me garder en pension et me pria d'attendre l'arrivée du docteur Pierre Daloze, qui serait mon chirurgien attitré. Le docteur Daloze, je le connaissais déjà pour l'avoir consulté à quelques reprises, et, certaine de sa compétence, je le respectais beaucoup et j'avais en lui une confiance aveugle. Le savoir assigné à mon cas provoqua un rayon de soleil qui réussit à s'infiltrer dans mon ciel d'orage. Je savais que je serais entre bonnes mains.

Jean avait dû me quitter pour retourner au travail. Il n'était pas très inquiet puisqu'il partageait avec les enfants la certitude qu'on allait m'enlever un kyste insignifiant, petit frère de celui qui m'avait valu une opération, deux ans plus tôt. Étendue et grelottant de froid (ce qui n'avait rien à voir avec la température de la pièce), j'attendais.

Comme les lits d'hôpitaux ont la particularité d'être sur roulettes, quelqu'un entra et poussa le mien dans le corridor, où je rejoignis des dizaines d'autres patients cordés le long des murs. Avait-on besoin de passer avec une civière? On repoussait mon matelas roulant dans une chambre, le temps de clarifier le trafic, et on me faisait reprendre place dans le passage. Je regardais tous ces autres malheureux en pensant que je n'étais sûrement pas la seule à trembler de peur.

Arriva enfin mon chirurgien, accompagné du docteur Caussignac et de trois autres médecins. Il fallait m'examiner, faire une biopsie, mais ce genre de chose se fait difficilement dans un corridor surpeuplé. La salle des plâtres! Mais oui, elle se trouvait juste à côté et jouissait momentanément d'une absence totale de tout être humain. Chaussée de pantoufles de papier (les miennes se trouvaient dans le fond de ma valise) et vêtue de deux jaquettes d'hôpital entrecroisées, je suivis le cortège des hommes de science jusque dans cette pièce aussi blanche que le plâtre qu'on y installe et éclairée de la lumière la plus crue qu'on puisse imaginer.

On procéda à l'examen avec le même appareil que la veille et j'entendis des remarques comme: «Vous voyez? Ça s'étend sur huit ou neuf centimètres» et «Avec crête». Ça ne me semblait pas très joli à l'oeil, et, personnellement, jamais de ma vie je ne m'étais trouvée dans une position aussi humiliante. Ce que j'aurais souhaité avoir un problème nasal!

Après qu'on eut prélevé un échantillon des tissus malades, je regagnai ma position dans le couloir. En attente elle aussi, une jeune fille était étendue en face de moi. Elle avait à peine vingt ans et ses intestins crachaient le sang de façon hémorragique. J'avais de la peine pour elle. Elle était tellement jeune!

Dans une pièce voisine dont la porte était ouverte, je vis les médecins examiner mes radiographies de la veille. Devant le cadre lumineux étaient épinglés mes intérieurs et je détournai la tête. Je ne voulais pas voir cette longue tache noire coiffée d'une crête. N'y connaissant rien, je ne l'aurais sans doute pas vue du tout.

Quand le docteur Daloze quitta le département, il vint me dire que mon état nécessitait absolument une intervention chirurgicale et qu'il viendrait plus tard en analyser les conséquences avec moi. Pour calmer mes genoux dansants, mon estomac noué et mes dents cliquetantes, il me prescrivit des comprimés de Valium.

Vers quatre heures trente, je m'installais dans ma chambre, au huitième étage. Le Valium me fit le plus grand bien. Comme je n'étais pas une adepte de ce genre de médicament, mon organisme y répondait en toute obéissance.

Je plaçai dans les tiroirs les chemises de nuit que j'avais achetées à la hâte dans la matinée, et enfilai ma robe de chambre et mes pantoufles (plus confortables que les galoches de papier). De ma fenêtre, je voyais les automobiles défiler sur le pont Jacques-Cartier en direction de la rive sud, et ce que j'enviais ces passagers qui rentraient à la maison. Bien sûr, chacun d'eux portait sa part de problèmes, nul n'en est exempté. Mais, comparativement à la vie et à la mort, que sont les difficultés d'argent, d'amour, de solitude, de famille, etc.? Elles s'estompent, deviennent minimes, et les aspects superficiels de la vie semblent ridicules.

Pendant ma carrière de chanteuse, j'ai connu des hauts mais j'ai côtoyé des bas en grande quantité. Quand la dépression montrait le bout de son nez, je me rendais sur le mont Royal, je stationnais ma voiture et je regardais la ville grouiller à mes pieds. Je me disais que toutes ces voitures, toutes ces fenêtres cachaient des personnes qui avaient des problèmes. Certains étaient sûrement plus épineux que les miens. Je n'étais pas la seule à me battre pour survivre, en quête continuelle d'un certain bonheur. Tous ces êtres humains, réduits à la grosseur des fourmis, sous mes yeux, en faisaient autant. Ces méditations m'apportaient le calme et la force de continuer. Mais, cette fois, c'était différent. Ces fourmis que je regardais déambuler n'étaient pas toutes porteuses d'un fardeau aussi lourd que le mien et j'aurais voulu être à leur place.

J'étais coincée dans une chambre sans âme, attendant le dénouement tragique des événements. D'un côté, j'avais très peur, mais, d'un autre côté, j'étais soulagée à la pensée qu'on allait m'aider en améliorant ma condition physique, qui, de jour en jour, était devenue de plus en plus pénible. Le stress, mon oeil! Et puis, depuis ma lecture du *Sélection du Reader's Digest*, j'avais eu le temps de réfléchir (ô combien!). J'avais compris que personne, absolument personne, n'est jamais prêt à être atteint d'une maladie grave et à en subir les conséquences. Je n'étais pas prête? C'était normal. Après avoir pensé: «Pourquoi moi?», j'en étais venue à me dire: «Et pourquoi pas moi?» On se rend alors compte que la santé, la simple ab-

Mon grand frère Charles. Avocat, sportif, voyageur, il est habité par la sagesse. Ses conseils (pas toujours juridiques) valent leur pesant d'or.

Gabriel (Gaby), c'est le frère copain. Amoureux de la nature, il a bâti sur son terrain de Saint-Jean-de-Matha, en utilisant des planches taillées dans ses propres arbres. Il est concepteur en hydroélectrique.

Madeleine (Mado), ma soeur, mon amie, ma complice. Je suis l'«artiste», elle est la femme de tête. Elle est aujourd'hui adjointe au doyen pour le dernier cycle, à la faculté des sciences infirmières de l'université de Montréal. Vous pensez si je serais perdue, moi, là-dedans!

Viateur, malgré sa taille et son âge, restera toujours mon petit frère. Électricien de métier, «patenteux» de loisirs, il nage dans le système D avec une aisance peu commune, et son sens de l'humour a de larges horizons. Lui et moi avons un côté farfelu qui fait que nous nous ressemblons.

sence de maladie, on la prend pour acquise sans l'apprécier à sa juste valeur.

Dans ma famille, je représentais le premier cas sérieux de maladie. Plutôt que de brailler sur ce fait, ne fallait-il pas remercier le ciel de nous avoir accordé à chacun de nous la santé pendant tant d'années? La maladie fait partie intégrante de la vie, qu'on le veuille ou non, et, tôt ou tard, elle tendra à chacun de nous une embuscade de taille. C'était simplement mon tour.

Sans être pratiquante, je demeure toujours profondément croyante. Pour parer aux injustices qui trônent ici-bas, il faut qu'il y ait un au-delà qui rétablisse l'équilibre. Autrement, la vie n'aurait aucun sens. J'implorais le Maître de m'accorder, non pas la santé, ce qui eût été ridicule, mais le courage nécessaire pour traverser l'épreuve.

Les examens se multiplièrent; on préparait un genre d'intervention qui ne se fait pas à la légère. Électrocardiogramme, radiographie des poumons, nouvel examen du foie en médecine nucléaire.

Cette dernière discipline a été une vraie révélation pour moi. Je trouvais ça fantastique! J'avais toujours associé la médecine nucléaire au cancer, allez savoir pourquoi! En fait, on s'en sert pour mille autres usages, pour administrer des traitements mais surtout pour le dépistage. Pourquoi ce nouvel intérêt pour mon foie? Je n'en savais rien et je ne posais pas de questions. Je n'ai appris que récemment qu'un cancer primaire du système digestif a la mauvaise habitude de provoquer un cancer secondaire du foie. On voulait donc s'assurer que cet organe était encore intact et on l'examinait sous toutes ses coutures.

En profane que je suis, la médecine nucléaire me mystifie. On injecte un liquide radioactif dans la veine du bras, puis on attend quelques minutes. On vous place ensuite sous un appareil énorme (dans le cas du foie), et, par je ne sais quelle magie, le liquide injecté est allé se localiser exactement dans l'organe à examiner. Pas dans la tête ni dans la jambe gauche: dans le foie. Sur l'écran scintillait ma manufacture de bile, devenue pour la circonstance une masse informe à mes yeux, autour de laquelle dansaient de petites étincelles vertes jaillissant du feu d'artifice central.

On veut examiner un autre organe? On procède de la même façon: injection dans le bras, et le liquide radioactif se dirige exactement là où on le désire. Fascinant! Le tout se fait sans douleur, sans nécessité de faire sauter au préalable les râteliers et les bijoux, et, après que les ordinateurs en ont fini de clignoter et de dérouler des lignées de chiffres affolés, vous pouvez vous retirer en vous sentant en pleine forme. C'est sûrement une partie de la médecine de demain en fonction dès aujourd'hui.

Le vendredi soir, après le départ de Jean, le docteur Daloze entra dans ma chambre et prit place dans mon fauteuil. Je sentais que la minute de vérité était arrivée. Calmement, me semblant un tout petit peu mal à l'aise (ce genre de démarche n'est pas des plus agréables), il me dit qu'on allait m'opérer au début de la semaine suivante. On allait procéder à l'ablation de la portion de l'intestin malade et, par mesure préventive, du rectum, des ovaires et de l'utérus à cause de leur proximité du centre de la maladie. La colostomie permanente était logiquement obligatoire. La ligne de conduite était la sécurité maximale. «La tumeur est cancéreuse?» lui demandai-je. Il me répondit affirmativement.

Non, je ne suis pas tombée en bas de mon lit, foudroyée par la surprise. J'avais déjà compris. Comme l'amoncellement de cellules anormales était visible à l'aide du sigmoïdoscope, il savait déjà, avant même les résultats de la biopsie, que le cancer tendait en moi ses tentacules morbides. En simple cas de doute, on ne précipite pas les choses comme on l'avait fait. Continuant son exposé, il m'assura qu'au stade où en était ma maladie j'allais être complètement guérie et en mesure de faire une vie normale.

«Pourrais-je encore jouer à la balle molle?»fut ma deuxième question. Nouvelle réponse affirmative. Je me suis alors dit que si je pouvais faire ça, je pourrais aussi faire tout le reste. L'hiver s'annonçait difficile puisque la période de récupération serait d'environ six mois, mais, au printemps, je serais de nouveau sur pied, et je me promettais de reprendre le temps perdu au cours de l'été suivant. Il me fallait d'abord me battre pour traverser cette période de crise, et je me sentais aussi d'attaque et combative que le grand requin blanc du film *Jaws*. Les rôles s'inversaient. Le cancer avait montré les dents, et c'était maintenant moi qui le tiendrais à ma merci. Viens-t'en, le cancer! Le docteur Daloze et moi, on va régler ton cas!

Le doute tenaillant ayant fait place aux faits clairs et précis, je me sentais plus détendue. Le doute, la crainte, c'est ce qu'il y a de plus difficile à encaisser, je crois. Mais comment allaient réagir Jean et ma famille? Si moi j'étais prête, eux ne l'étaient pas. J'ai demandé au médecin de revenir le lendemain soir afin de mettre lui-même Jean au courant. Il accepta, bien sûr.

Je n'allais quand même pas téléphoner à la maison à dix heures du soir pour annoncer pareille nouvelle. Connaissant mon mari, je savais qu'il n'aurait pas dormi de la nuit et aurait abîmé tous les rideaux de la maison en grimpant dedans. Dans la quiétude de ma chambre, je me suis contentée de réfléchir à la situation, à laquelle j'avais déjà réfléchi tant de fois, et j'ai encore imploré le ciel de me donner tout le courage dont j'avais besoin. La mort? Je n'y pensais plus. J'allais être guérie et VIVRE. L'opération en soi ne m'inquiétait pas, et après, je saurais bien faire face à la musique comme tant d'autres cancéreux l'avaient fait avant moi. Je n'étais quand même pas un cas unique; l'étage était rempli d'opérés et certains étaient peut-être dans un état beaucoup plus critique et désespéré que le mien. Toujours aussi calme, je me suis simplement endormie.

Le lendemain soir, Jean vint me rendre visite comme il le faisait à chaque jour. J'étais confiante, souriante, et heureuse qu'il soit là.

Je ne fus pas surprise quand le médecin entra, je l'attendais. Il prit place sur la petite chaise en face de Jean et l'informa de mon cas. Incrédule, il écoutait sans trop comprendre ce que lui racontait le docteur Daloze. «La colostomie sera temporaire?», s'enquit-il. Eh bien, non, elle serait là pour le reste de mes jours.

Quand ses idées vinrent à bout de se clarifier, il réagit comme s'il avait reçu une gifle monumentale. Je le rassurai en lui disant de ne pas s'en faire pour moi, que j'étais au courant depuis la veille, et que l'important était que j'allais continuer à vivre et à fonctionner de façon normale. Je m'en suis voulu de lui avoir caché mes craintes; le choc eût été moins violent.

Après le départ du médecin, il me prit dans ses bras, les yeux pleins de larmes, et me dit à quel point il était désolé que pareille chose m'arrive. Et il ne comprenait pas

134

mon calme, mon optimisme. Ses phrases étaient courtes, échevelées, il marchait maintenant de long en large, en cercle et en carré, il connaissait vraisemblablement l'état de panique qui m'avait plus tôt habitée. Il disait qu'il savait depuis toujours que je n'étais pas comme les autres, que j'avais un caractère particulier qui me permettait d'encaisser les coups bas sans me rompre le cou, mais là, mon attitude le dépassait. Survolté, il l'est resté jusqu'à la fin de la période autorisée pour les visites. Ce ne fut pas une soirée très gaie mais elle était inévitable, comme tout le reste.

Nous avions décidé ensemble de mettre les plus vieux de nos enfants au courant des faits mais de s'abstenir dans le cas des deux plus jeunes, qui auraient pu s'affoler. Avec ces derniers, on rétablirait les faits quand je serais de retour à la maison. Jean téléphona à Val-d'Or pour prévenir sa soeur (et la mienne) Jacqueline, et elle me raconta plus tard qu'il lui avait dit qu'il pensait que j'avais perdu les pédales (décidément, on ne donnait pas cher de ma cervelle!), que je ne semblais pas me rendre compte de ce qu'on allait me faire. Et pourtant, la brume s'était dissipée et mon champ de vision était d'une clarté parfaite. Il avertit aussi les membres de ma famille, ma soeur et mes frères, et toutes ces personnes proches de moi éprouvèrent le même choc.

Madeleine et Charles, résidant à Montréal, accoururent à mon chevet. Ma soeur, les yeux pleins d'eau, déclara qu'elle n'était pas surprise que j'en sois là.

«Toi, tu ne fais jamais les choses à moitié, me dit-elle. Tant qu'à avoir une maladie, ça t'en prend une bonne!»

Gabriel, qui est joliettain et dispose d'une ligne directe à son bureau, prit l'habitude de me téléphoner régulièrement, habitude que nous avons gardée depuis.

Viateur et sa famille vivent à Saint-Jean-de-Matha et je reçus un appel téléphonique de lui aussi. Je lui racontai mon histoire et enchaînai sur mon optimisme.

«Comme ça me soulage de t'entendre parler de cette façon! finit-il par dire. Ce n'est pourtant pas moi qui suis malade mais je me sens tout à l'envers! Je tenais à te téléphoner mais je ne savais même pas ce que j'allais te dire!»

En fait, il n'avait pas besoin de dire quoi que ce soit. Le seul fait de me tendre psychologiquement la main était amplement suffisant.

Seuls mon père et ma mère avaient été tenus à l'écart de la nouvelle. Je ne savais pas si je devais en parler ouvertement à maman ou non. La sachant de nature inquiète, j'avais peur qu'elle ne s'en fasse à outrance. Par contre, comme elle est bien «crapaude», la Cécile, qu'elle a le bout du nez fin, elle ne manquerait pas de sentir la tension des autres et s'imaginerait sans doute le pire.

Je décidai donc de lui parler en toute franchise. Elle me remercia de l'avoir fait, ajoutant qu'elle l'avait déjà deviné à travers les cachettes de l'entourage, et, comme prévu, elle m'imaginait presque dans ma tombe. Je la rassurai: la tombe devrait attendre; mais cela ne l'a pas empêchée d'égrener plusieurs chapelets en implorant le bon Dieu de ne pas venir lui faucher sa «grosse tannante» d'hier. Mon père, pour sa part, accablé par la maladie, avait complètement perdu le sens des réalités et il n'a jamais su dans quel pétrin sa fille se trouvait.

Les relations des Clément avaient changé d'envergure. Avant, on se voyait rarement, une fois dans l'été, une fois au jour de l'an (sauf Madeleine, dont j'ai toujours été très proche); on se connaissait mal, mais chacun de nous aurait donné sa chemise pour venir en aide à l'un des autres. On s'aimait bien, mais à distance. Au point de vue émotif, chacun a été ébranlé, et nous nous sommes serré les coudes. On communique plus souvent, on est plus ouverts, et bon sang que ça fait chaud en dedans! Brutalement, nous nous sommes rendu compte qu'il faut s'aimer et partager tandis qu'il en est temps. Demain, qui sait? Le décès de papa est venu souligner d'un trait rouge le paragraphe de la vie que nous avions découvert ensemble.

Pour ma part, les examens et les médicaments se multipliaient. Je faisais des bleus facilement? Il fallait y remédier: des pilules. Je ne sais pas ce que c'était mais j'ai eu une preuve indéniable de leur efficacité. Un mois et demi plus tard, de retour chez moi, je suis tombée, me frappant le bassin sur un calorifère électrique qui s'est déformé sous l'impact. Je ne suis pas tombée comme une légère feuille d'automne... Je m'attendais à avoir un bleu des grandes occasions mais il n'en fut rien. J'écopai d'une belle grosse bosse, bien dodue mais incolore. J'en ai déduit que le médicament travaillait encore.

Pour préparer adéquatement mes intestins, je suivais une diète sans résidus, et pour stériliser mes boyaux internes: des pilules. Les comprimés de Valium continuaient toujours à me garder *cool*.

Le docteur Daloze, en plus d'être le chirurgien en chef de l'hôpital Notre-Dame, est professeur de médecine, et ses patients sont à chaque jour visités par son équipe formée de médecins et d'étudiants en médecine. Ils entraient cinq ou six à la fois, examinaient le dossier, posaient des questions, et on me demanda si j'avais objection à ce que chacun d'eux me fasse un examen rectal.

Ma première réaction a été la même que la vôtre en lisant ces lignes: ça va faire! Et puis je me suis dit que ces jeunes, tout en se bourrant le crâne de théories, devaient aussi accumuler de la pratique. Peut-être qu'en palpant mon nodule à crête, ils sauraient plus tard le reconnaître sur d'autres patients et ne se contenteraient pas de leur prescrire des pilules pour les nerfs dans l'espoir de tout régler. J'ai accepté.

Un examen rectal bien fait, c'est indolore. Exécuté par des doigts pointus, malhabiles et chercheurs, c'est autre chose. J'epère que mon acceptation aidera un jour quelqu'un, je l'ai bien mérité! Je me dois quand même d'ajouter que ces étudiants ont agi avec beaucoup de tact et de respect.

Tout le personnel de l'hôpital était d'ailleurs des plus chaleureux, sauf certaines personnes chargées de conduire les patients de leur chambre à une salle d'examen quelconque. Des problèmes syndicaux formaient-ils des noeuds dans leur système nerveux? La bonne humeur et le sourire ne semblaient pas faire partie de leurs services. Je me suis même fait enguirlander par une femme qui devait me conduire en cardiologie et dont je grugeais le temps précieux parce que j'étais retenue à la salle de toilette quand elle frappa à ma porte. Mon état ne s'était pas amélioré parce que j'avais changé d'adresse, et si elle m'avait suivie durant les trois premiers mois, ses noeuds auraient largement dépassé son système nerveux.

Ma chambre était déjà égayée de fleurs. Chaque témoignage donnait un tour de roue à mon courage, et je n'oublierai jamais l'amour et l'amitié dont on m'a comblée. L'une des gerbes, composée de fleurs aussi diverses que les envoyeuses elles-mêmes, était accompagnée d'une carte portant ces mots: «Nous serons toutes avec toi en pensée et nous te souhaitons bonne chance pour mardi. L'équipe des Cléopâtre.» L'esprit d'équipe me poursuivait jusque dans mon lit, ma «gagne» était là pour se battre avec moi!

Moi aussi, je pensais à elles, qui préparaient la soirée de clôture de la saison, *party* pendant lequel on remettait les trophées. Cette fête était prévue pour le samedi, quatre jours après mon opération. Prévoyant que, le jour même, je n'aurais pas la capacité de rédiger un texte digne d'une directrice de catégorie, je le préparai à l'avance. Comme j'allais briller par mon absence, je demandai à Jean-François d'en faire la lecture pendant la soirée. Je manquerais le *party*, mais au moins, j'avais joué jusqu'à la dernière balle. (Dans mon cas, ce n'était pas jusqu'à la lie, mais jusqu'au lit...). Vous voulez savoir ce que j'avais écrit sur mon petit bout de papier? Ce que vous êtes curieux! Soit! Voici le mot final de la directrice, qui s'était déjà déchargée de ses fonctions en raison de son immense fatigue.

> *Pendant que mon corps s'évache à l'hôpital, mon coeur et ma pensée se baladent au milieu de votre* party.

> *Dans l'espoir de terminer la finale de balle molle, j'ai retardé au maximum la décision de l'arbitre médical. Quelques jours plus tard, le bistouri m'a mise* strike out. *On est très gentil, toutefois; on ne me fait pas courir les coussins, on me les apporte directement dans mon lit. De plus, il semble que mon chirurgien se soit payé une partie parfaite.*

Félicitations à toutes les récipiendaires de trophées (Hourra! les Cléopâtre!). Remerciements au conseil de direction, qui a littéralement mis au monde la section des Dames. Un merci tout spécial aux entraîneurs et à Gaston Jolicoeur, dont personne n'ignore le dévouement sans bornes.

Bonne soirée, et, s'il vous plaît, faites-moi tout plein, tout plein de photos!

À la saison prochaine, et tenez bien vos tuques! Vous allez retrouver l'arrêt-court le plus en forme de toute la ligue!

Amitiés à tous.

Élizabeth Morin.

Vous remarquerez que je n'étais pas étouffée par le désespoir et que je bluffais beaucoup puisque je n'avais même pas été opérée à ce moment. La partie parfaite du docteur Daloze, j'en étais certaine. Quant à mes futures performances de sportive, on verrait bien... On peut toujours essayer d'impressionner les autres équipes, n'est-ce pas? Pour être franche, je pense que ma déclaration ne leur a pas fait très, très peur...

Mes parents, mes amis, tous étaient là pour me prêter main forte dans la mesure de leurs moyens. Solange Harvey me téléphonait d'un autre hôpital, où elle se préparait à subir une intervention mineure. On s'encourageait l'une l'autre. Jacqueline me fit parvenir des fleurs, et ma tante Germaine me fit livrer un télégramme. Je n'étais vraiment pas seule pour me battre et je pensais à d'autres malades, des personnes esseulées qui ne recevaient aucun support. Comme ce doit être pénible! Il paraît que les femmes atteintes de cancer accordent plus d'importance à l'amitié que les hommes atteints de la même maladie. C'est une statistique surprenante mais je sais que dans mon petit cas personnel l'amitié tenait une énorme place.

Ginette Reno était alors en tournée dans la région du Lac Saint-Jean, et, ayant travaillé récemment de façon intensive, je me sentais très proche d'elle. Je voulais à tout prix qu'elle sache que j'étais désarçonnée, que j'avais besoin d'elle. Jean me promit de la rejoindre.

La veille du jour O (ça ne peut pas toujours être la veille du jour J de La Baie!), il s'avérait nécessaire de libérer complètement mon intestin. La diète sans résidus avait déjà aidé, mais pour bien terminer la tâche, nous passions au régime des lavements. Jean me quitta à vingt heures trente, me promettant d'être là le lendemain matin avant que je parte pour la salle d'opération. J'étais toujours aussi calme, et lui, toujours aussi nerveux.

Dès qu'il fut parti, une infirmière m'infusa une certaine quantité d'eau que je devais garder dix minutes. Je devais ensuite évacuer et sonner l'infirmière pour qu'elle vienne, de son oeil connaisseur, analyser la couleur des eaux de retour. Et on recommençait. Les dix minutes d'attente ne me fatiguaient pas du tout. J'avais acquis dans ce genre d'exercice une maîtrise peu commune. Il fallait continuer ce petit jeu jusqu'à ce que l'eau revienne presque aussi propre qu'à sa rentrée. Tout un contrat! Nous avons terminé à vingt-trois heures. Je ne peux pas vous dire le nombre de lavements que j'ai reçus (remarquez qu'on pourrait toujours en faire le calcul horaire...) mais ce n'était pas ce qu'il y avait de plus agréable. Je me consolais en pensant qu'à partir du lendemain, et pour

tout le reste de mes jours, je n'en aurais plus jamais. Fini!
Jamais plus d'examens rectaux non plus, ni d'hémorroïdes. Je triais les faits positifs, aussi minces fussent-ils.

Quand j'eus encore une fois la peau du ventre collée
aux reins, aidée d'un somnifère, je m'endormis du sommeil du juste. Tous les préparatifs étaient à leur terme et
j'étais psychologiquement prête.

CHAPITRE XII

Je dormais si bien qu'on dut me réveiller pour me faire... Pour me faire quoi? Un dernier lavement. Là, c'était vraiment le dernier des derniers. On me fit ensuite une injection, comme on le fait à tous les futurs opérés. Ça vous détend, vous envoie à demi dans les prunes, et vous glissez sur la civière qui vous transportera à la salle d'opération, aussi détendu que si vous glissiez dans un bain chaud. Pas de panique! Nous étions le seize septembre et j'étais le *numero uno* de la liste des interventions du docteur Daloze ce jour-là. À sept heures trente, j'étais en tête de file dans le corridor à proximité des salles d'opération, et, dans ma brume, il me semblait qu'il y avait des civières partout le long des murs. Je n'étais pas la seule à passer sous le bistouri ce matin-là. Jean eut juste le temps de venir m'embrasser, me serrer la main et m'encourager avant que je ne sois poussée dans la pièce voisine.

On me fit glisser sur une table étroite recouverte de tissu vert comme toutes les autres, qui étaient alignées comme dans une cafétéria. Je sais que l'idée est saugrenue mais c'est réellement l'image que j'en ai gardé. Des personnes également habillées de vert me préparaient. Je n'ai pas vu mon chirurgien mais quelqu'un lui demanda: «Position gynéco?» et je l'entendis répondre: «Oui.» Mon anesthésiste était une jeune femme qui était venue me parler la veille. Elle m'avait plu. Sans la voir, je la sentais près de ma tête et s'occupant de façon active de mon bras gauche. M'a-t-elle parlé? Les anesthésistes le font habituellement au moment où vous allez perdre les pédales. Si elle l'a fait, je n'ai rien entendu. Il n'aurait pas été question de me faire compter à reculons à partir de 100! J'étais déjà *out.*

À douze heures trente, l'intervention était terminée et tout s'était merveilleusement passé. (C'est du moins ce qu'on m'a dit!) Mes paupières poids lourd s'entrouvrirent en entendant la voix du docteur Daloze, qui me disait que tout allait bien et que j'avais gardé mon utérus, l'ablation n'ayant pas été nécessaire. J'étais confusément heureuse de le voir et de l'entendre, mais à ce moment-là, vous pensez bien que je m'en balançais, de mon utérus!

On me conduisit aux soins intermédiaires, où je devais rester en surveillance constante pendant deux jours. Jean était là pour m'accueillir mais je ne l'ai absolument pas vu. Je savais qu'il serait là, et même si je planais dans l'inconscience, j'appréciais ce fait.

Les malades ne souffrent pas inutilement et on leur administre de puissants calmants quand c'est nécessaire; aussi, je ne garde que de vagues souvenirs de mon passage aux soins intensifs.

Des tubes! J'avais des tubes partout, reliés à des sacs ou à des machines spécialisées. Un dans l'estomac, via le nez, pour éviter les nausées; un dans le bras, me permettant de recevoir du sérum; trois dans le périnée, qui avait été incisé; une sonde pour les urines, plus des machins permettant de suivre mon rythme cardiaque et ma pression artérielle. (Ces machins, c'est Jean qui m'en a parlé;

moi, je les ai complètement ignorés.) Une infirmière de couleur s'occupait de moi et était souvent assise au pied de mon lit. En face de moi, un homme à chevelure blanche, qui, me semblait-il, lisait parfois son journal, assis sur une chaise. Il était pourtant aussi mal en point que moi et gardait lui aussi la position horizontale. J'ignore pourquoi je l'ai vu ainsi. Il y avait parfois beaucoup de bruit dans la pièce, ce qui me sortait de ma torpeur, mais je me rendormais aussitôt.

Le lendemain de l'opération, je me souviens de la présence de Jean. J'ai simplement soulevé ma main pour le saluer. Il dit s'être assis près de moi et m'avoir parlé mais il me faut le croire sur parole. Néant!

Mon infirmière était très douce, très dévouée, et, en quittant ses soins, je regrettais de ne pas pouvoir l'emmener avec moi au huitième étage. Dans son dévouement, elle avait inclus de me faire lever à peine vingt-quatre heures après l'opération, dans le but de faire ma toilette. C'est une politique appliquée à tous les malades ou presque mais qui n'est pas de tout repos.

Quand elle m'a dit qu'on allait me faire quitter mon lit, c'est la surprise qui m'a fait ouvrir les yeux. C'était pas vrai! Ma mollesse était comparable à celle d'un nouveauné! Même si j'avais les yeux entrouverts, tous mes muscles continuaient à roupiller. Tant bien que mal (plutôt mal, dans mon cas), on parvint à me hisser hors des draps et à m'installer dans une chaise dont le siège était rehaussé par plusieurs coussins douillets. Les murs de la pièce tournaient dans une farandole qui n'avait rien de provençal; ce que j'avais hâte de retourner m'étendre! Y avait-il un tube de coincé quelque part? Je l'ignore, mais l'infirmière me demanda si je pouvais me mettre debout pour quelques petites secondes. Encore une fois, on me hissa sur mes pieds, mais ses «quelques petites secondes» étaient trop longues pour mes mollets. Sur le point de m'écrouler, je me suis lancée au cou du premier venu. Je ne saurai jamais qui était là et dans quels bras je suis tombée. Dommage! Pour une fois que je me payais pareille licence!

Jeudi matin (du moins, je crois...), on me remontait au huitième étage, section chirurgie. Je n'avais plus besoin de surveillance de tous les instants, et, dans ma tête encore brumeuse, je me suis dit que les risques étaient passés, donc que tout allait très bien. On m'installa dans une chambre tout près du poste des infirmières. Je n'étais plus reliée aux machines spécialisées mais tous mes tubes avaient suivi. Dans la pénombre de ma chambre, mon esprit était encore à la dérive plus souvent qu'autrement. On continuait à m'injecter des calmants aux quatre heures, ce qui n'était sans doute pas un luxe.

Jean vint me voir en soirée comme il le faisait à chaque jour. Madeleine et son mari étaient là aussi. J'étais éveillée, lucide, et agacée par le tube qui descendait dans ma gorge. Il me faisait le coup de l'irritation à chaque fois que j'essayais d'avaler ou de parler. Détail insignifiant comparativement au reste. Je préférais de beaucoup un gratouillis de la luette à des nausées dont les résultats eussent été pénibles. Ma soeur ne resta pas longtemps et sortit en dissimulant ses larmes. Plus tard, elle m'avoua que mon aspect n'était pas très réjouissant ce soir-là mais qu'à la lueur qui flambait au fond de mes yeux elle savait que je continuais à me battre avec succès.

J'appris aussi, après coup, que Jean-François, qui avait débuté ses examens de C.A. la journée même de mon opération, avait oublié chez lui les éléments essentiels à la réussite de ses tests. Comme ce genre d'oubli ne lui ressemble pas, il semble que tout le monde était sur la corde raide et que je demeurais sans doute la plus calme de tous.

Mon abdomen était complètement recouvert d'un large pansement collant d'est en ouest et du nord au sud. Ma colostomie était en place mais recouverte et retenue par des clamps (pinces chirurgicales). Je savais qu'il en serait ainsi et cet état de choses m'avait d'ailleurs inquiétée. On sait que quelques jours après une opération les gaz font leur apparition et sont souvent plus souffrants que les plaies elles-mêmes. Qu'allait-il advenir dans mon cas? L'orifice évacuateur avait été cousu et le tout nouveau boyau d'échappement était retenu avec des pincettes. Allais-je me déguiser en ballon? Le docteur Daloze me rassura encore une fois en m'affirmant que les bouchons d'air n'apparaîtraient qu'après le dégagement de ma stomie. Ouf!

Si vous faites la grimace en retirant un Band-Aid de votre doigt, je ne vous conseille pas le genre de pansement grand format, dont le décollage n'est pas une sinécure. Abasourdie par les médicaments, je n'en faisais pas moins une «steppette» à chaque fois qu'on en soulevait un coin. Il faut dire qu'en deux temps, trois mouvements, il était complètement retiré, et on enleva alors les clamps, ce qui ne provoqua aucune douleur. Ma stomie voyait le jour et j'y jetai un oeil comme on le fait dans le cas d'un nouveau-né. À sa forme définitive, on dit d'elle qu'elle ressemble à un bouton de rose (c'est pas joli?), mais elle n'en était pas encore là. Elle était pourtant en parfaite condition et on la recouvrit de bandages enroulés en attendant qu'elle se réveille. Je vis aussi mon incision et, d'après sa longueur, je me suis dit que le chirurgien avait dû faire un inventaire sérieux des environs. Débutant à environ trois centimètres au-dessus du nombril, elle descendait jusqu'aux limites du possible. Lors de mes deux premières opérations, on avait coupé à l'horizontale, et cette fois, c'était à la verticale. J'imaginais mon ventre comme un jeu de dames, et avec un pion en plus!

L'important, c'est que le grand coup avait été donné et réussi. Il ne restait plus qu'à remonter la pente. Mais encore fallait-il le faire, et, pour y arriver, j'avais élevé autour de moi des murs d'où tous les problèmes externes avaient été exclus. Pour m'en sortir, il me fallait me concentrer sur ma petite personne. Les pépins des autres, je m'en occuperais plus tard.

Le docteur Daloze était satisfait et, en badinant, nous nous félicitions réciproquement de nos performances. Nous jouions une partie où deux joueurs sont nécessaires. Le médecin fait sa part en pratiquant sa profession, et le patient fait la sienne en ce qui a trait à la récupération.

Répondant à mon appel, Ginette et son ami Alain entrèrent dans ma chambre au moment où j'essayais de me replacer dans mon lit, sans y arriver. J'étais encore dans le creux de la vague et, comme Ginette est très sensible, j'avais devant moi une amie bouleversée et les bras pleins de cadeaux. Ce que j'étais heureuse qu'elle soit là! Elle a déballé en vitesse le contenu des boîtes qu'elle portait, exhibant des déshabillés et des chemises de nuit qui ne sortaient visiblement pas du Miracle Mart, et installa le tout sur des cintres. Pour clore son rôle de Mère Noël, elle m'offrit une extraordinaire poupée de porcelaine qui n'avait jamais mis les pieds au Miracle Mart elle non plus. Ce qu'elle est belle, cette poupée! Elle l'installa sur le rebord de la fenêtre et, après m'avoir encouragée et embrassée, elle s'empressa de sortir, en oubliant au fond d'une boîte, perdue dans le papier de soie, une lettre qu'elle m'avait écrite. Je ne l'ai découverte qu'au moment de ma sortie, et il eût été dommage qu'elle s'égare, parce que le contenu était très touchant, m'apportant un témoignage d'amitié inoubliable. Je la comprenais de précipiter son départ, je n'étais pas très reluisante...

Le vendredi, on enlevait le tube anti-nausée. Quel soulagement! J'allais me remettre doucement à manger, commençant avec une diète liquide. Il fallait y aller mollo avec le système digestif, qui n'avait même pas vu passer une gorgée d'eau depuis plusieurs jours. Mon premier repas, composé d'un jus de tomate, s'est contenté de faire un voyage aller-retour, me laissant encore plus faiblette qu'avant.

Ce même soir, Jean et mon *coach* de fils, Jean-François, vinrent me visiter et, dès leur arrivée, je remarquai que ce dernier portait un trophée à demi caché dans un sac. J'en ai déduit qu'il venait me montrer la preuve tangible du championnat des Cléopâtre, équipe qui avait remporté les honneurs de la saison.

Erreur! J'avais devant les yeux le trophée Élizabeth-Morin, attribué à la joueuse ayant fait preuve du plus grand esprit sportif. Sans en être la récipiendaire, je ne m'attendais pas du tout qu'on souligne de cette façon mon rôle de fondatrice (mot employé par la direction et qui me rappelait plus Marguerite Bourgeoys qu'autre chose; j'avais d'ailleurs demandé si on allait m'élever une statue; nous avions bien rigolé mais, avec cette histoire de trophée, on se rendait presque à ma demande...) et j'ai failli tacher le beau bois verni à grands coups de larmes. Et mon courage recevait un autre tour de roue!

À chaque soir, Jean m'arrivait avec un ou deux de nos enfants. Marie-Claude, pour sa part, outre sa gerbe de fleurs, m'apporta elle aussi un cadeau surprise de choix. Une photo récente de ma petite-fille! Je l'installai sur ma table de chevet, et je pense que pas une seule personne n'a pu entrer dans ma chambre par la suite sans que j'exhibe avec une fierté non dissimulée et non dissimulable la frimousse de ce petit chérubin dont la présence me manquait énormément.

Et puis j'eus la visite des autres garçons: François, Daniel, Éric et Jean-Philippe. Les deux aînés ne savaient trop quelle contenance adopter tandis que les cadets, ignorant la gravité de ma maladie, faisaient la navette entre la cafétéria et ma chambre. Les enfants crânaient et Jean se disait si malheureux qu'il avait seulement envie d'aller se planter dans un coin et de pleurer à chaudes larmes. Par contre, il disait que ça lui était impossible, vu mon attitude qui était branchée en permanence sur le positif de la situation. En plus de tenir le coup pour moi-même, il fallait que je le tienne aussi pour les autres, qui ne gardaient leur équilibre émotif que parce que je gardais le mien.

Pour ma part, le seul fait d'être vivante et guérie me suffisait. Je m'estimais chanceuse de m'en tirer à si bon compte, avec des dégâts limités. Comme la plupart des gens, j'avais toujours associé le mot «cancer» à la souffrance et à la mort, et le fait de m'en tirer avec succès suffisait à me faire apprécier la vie, même si elle était encore difficile.

Chaque personne qui venait me voir, qui me téléphonait ou qui me faisait parvenir des fleurs m'apportait un bonheur supplémentaire. Ma récupération physique marchait main dans la main avec mon moral au beau fixe.

On m'avait enlevé une couple de tubes, ceux du périnée. Il n'y restait qu'une sonde, qui servait encore à laisser écouler des matières liquides, écoulement nécessaire pour que la cicatrisation se fasse proprement et sans provoquer d'infection. On me forçait à me lever un peu (forcer est le mot juste, c'était pénible!) et je pouvais parfois recevoir ma visite en duchesse, installée dans un fauteuil garni de quelques oreillers. L'incision au périnée était très sensible et devait d'ailleurs le demeurer pendant environ deux mois.

J'avais recommencé à manger avec succès et ma stomie décida de lever l'écluse. On m'installa donc mon premier sac de stomisée, truc qui disparaît complètement sous le vêtement, m'avait-on dit. Le lendemain matin, ledit sac était gonflé d'air, et, n'arrivant pas à déclencher la fermeture, sous l'une des chemises de nuit offertes par Ginette, j'avais la silhouette d'une femme enceinte de six mois. C'est beau de foncer, de déborder de courage, mais il y a des limites. J'ai piqué une crise de larmes de luxe, m'apitoyant sur mon sort. Je pleurais de dépit, de rage et d'impuissance.

Courbée en U, traînant la tige portant les sacs (les autres: sérum et urine) toujours rattachés à ma personne, je me suis rendue jusqu'à ma valise, en ai extrait mon enregistreuse et le ruban du microsillon de Ginette: «Je ne suis qu'une chanson». Après avoir installé le tout, j'ai lancé un ordre qui n'invitait pas à la réplique: «Ginette, chante!» Étendue, la tête élargie par les écouteurs, et l'oeil à la flotte, je me suis calmée en écoutant cette voix et cette musique qui m'avaient tant apporté.

Une fois cet orage passé, je me suis sentie nettement mieux et j'ai fait brancher mon téléphone. Le rase-mottes était fini, j'allais remonter en flèche.

Au bout d'une quinzaine de jours, on m'enlevait la sonde urinaire et le sérum. Mes déplacements, quoique encore douloureux, devenaient plus faciles.

Quand Ginette me fit une deuxième visite, mon aspect l'effaroucha beaucoup moins. Elle m'apportait sur ruban, les enregistrements musicaux des chansons de son futur album: «Quand on se donne». Ensemble, nous l'avons écouté, et, emportée par la musique, Ginette chantait à pleine voix en gesticulant au milieu de la pièce. Les infirmières se trouvaient des prétextes pour entrer et je devais faire envie à plusieurs admirateurs de la vedette.

La tête encerclée par mes écouteurs, combien de fois, par la suite, ai-je écouté cette musique! Seule dans ma chambre, je me permettais moi aussi de chanter, mais en catimini, toutefois...

J'avais appris à nettoyer mon sac de colostomie, ce qui est fort simple mais demande un peu de pratique pour éviter le gâchis. Après s'être mis au travail, mon intestin semblait vouloir reprendre le temps perdu. En une seule journée, j'avais nettoyé sept fois et j'en avais assez. Je me suis promis de laisser les choses au statu quo jusqu'au lendemain matin.

Éveillée à cinq heures du matin pour me rendre à la salle de toilette (pour certains besoins, je continue à m'y rendre comme tout le monde, quoi!), je me rendis compte que le sac avait pris une pesanteur désagréable encore une fois. Bon! Allons-y!

Peut-être était-ce d'avoir tant nettoyé? Peut-être était-ce mes gestes maladroits? Je ne sais pas ce qui provoqua le décollement de la partie adhésive du machin, qui me tomba tout bêtement sur les pieds. Je ne savais plus quoi faire, quoi tenir, quoi essuyer, et j'ai tiré la clochette d'urgence. L'infirmière eut tôt fait de tout remettre en ordre, de tout nettoyer et de m'installer un sac neuf. J'eus encore une fois une crise de dépit et de rage. Quelle affaire! L'expérience dans n'importe quel domaine, ça se paie!

À l'hôpital Notre-Dame, j'ai reçu des soins extraordinaires, et si j'apprécie extrêmement la compétence des médecins, j'ai aussi beaucoup de sympathie pour le personnel, tous ces gens qui n'ont cessé de m'apporter dévouement, gentillesse et chaleur humaine. Réchauffant l'ambiance froide de ma chambre, quelques-uns d'entre eux venaient parfois me faire un brin de jasette, comme ça, entre amis.

Parmi ceux-là, Jean-Pierre, infirmier licencié attaché à l'aile dans laquelle je me trouvais et qui se posait toujours des questions sur ses relations psychologiques avec les patients. Avait-il bien fait de dire telle ou telle chose? Aurait-il dû agir de façon différente dans telle situation? En plus de faire le maximum pour soulager les corps, il tentait continuellement de donner un coup de pouce au moral. Combien de fois a-t-il réussi à me faire sortir du lit pour marcher, ce qui était nécessaire, alors que j'avais décidé au préalable que je ne bougerais pas le gros orteil. Il arrivait toujours à ses fins. Il était bien, ce Jean-Pierre.

Réal, lui, venait me parler de boustifaille. Il égrenait les recettes gastronomiques. J'avais beau avoir l'estomac dans la brume, il racontait avec tant de gourmandise et de délices qu'il réussissait à me mettre en appétit. Il a promis de me livrer à la maison des pâtisseries danoises faites de ses mains. Réal! Je les attends toujours!

Et puis, il y avait Marie, Agathe et de nombreuses autres infirmières dont le nom m'échappe; et puis cette dame qui faisait le ménage matinal et qui avait pris l'habitude de me gâter. Vous savez sûrement que dans ce genre d'établissement on se fait éveiller à bonne heure. Autour de six heures. Et le petit déjeuner, lui, n'arrivera que vers les neuf heures, neuf heures trente. Ça fait un peu long quand l'appétit est de retour. Eh bien, cette dame, mine de rien, venait déposer à chaque matin une tasse de café sur ma table de chevet. Ce que je la trouvais gentille et comme j'appréciais ce geste! La plus petite attention prend des proportions gigantesques dans certaines circonstances.

Occupant la même chambre depuis près d'un mois, je m'y sentais presque chez moi. En plus d'y recevoir mes parents et mes amies, j'avais la présence constante de ma petite-fille en photo, le rebord de la fenêtre était peuplé de poupées que j'avais reçues (j'adore les poupées!), il y avait tout plein de fleurs, et je me sentais en sécurité, entourée du personnel infirmier et visitée régulièrement par les médecins. Mes points de suture avaient été enlevés et les seuls traitements encore en cours étaient des irrigations dans la plaie encore béante du périnée.

Deux jours avant d'obtenir mon congé, je reçus la visite de la garde Bélanger, spécialement affectée aux stomisés. Elle venait me donner les instructions d'usage et me faire cadeau du *Guide des colostomisés*, brochure qui m'a été extrêmement utile.

Je savais qu'il était possible d'omettre le port du sac mais j'ignorais comment on arrivait à ce stade. Elle m'informa que la méthode courante (pour ne pas dire: la seule) est l'irrigation. Un lavement administré à chaque jour à heure fixe et qui permet de vider le côlon. Quoi? Un lavement à chaque jour? Moi qui m'étais tellement promis de laisser ces infusions particulières aux autres, je devrais...? Jamais! Elle m'enseigna néanmoins la façon de procéder et mes premières expériences s'avérèrent désastreuses. Crampes abdominales grand format, eau qui fuit, profitant de la maladresse de l'intéressée désintéressée, le tout couronné par un résultat nul.

Après deux exercices de ce genre, le bric-à-brac pour irrigation, je l'ai lancé dans le fond de ma valise et je l'ai enterré sous un tas de choses. Je ne voulais plus en entendre parler.

L'usage du sac n'était pourtant pas de tout repos. N'ayant pas plus de contrôle qu'un nourrisson, il me fallait apprendre à vivre de façon différente. Le contenant souvent arrondi comme un ballon par les gaz intestinaux (moi qui en avais si peu avant!), la discrétion laissait souvent à désirer et les premiers maniements des engins à nettoyage avaient laissé sur mes pantoufles des taches irrémédiables. Pour contrer les gaz, j'ai tout essayé, passant du Maalox-Plus aux comprimés de charbon de bois (qui vous laissent les dents comme les ongles d'un bambin qui fait des pâtés de glaise), mais, en guerre ouverte contre les lavements, j'étais prête à faire du sac mon compagnon de tous les jours. Tant pis!

Le cancer a la réputation d'être tenace. Délogé d'un certain endroit, il tente souvent, quelque temps plus tard, de s'épanouir ailleurs. Je n'étais pas sans y penser et je demandai à mon chirurgien quelles étaient mes chances de guérison complète. On raconte bien des choses sur le sujet, on parle volontiers d'une période critique de cinq ans, et j'avais besoin qu'on éclaircisse la situation. Le médecin me répondit qu'il lui était impossible de savoir ce qui allait m'arriver dans dix-sept ou vingt ans mais qu'en attendant j'étais guérie. Je n'en demandais pas tant! Par mesure de sécurité, il me conseilla toutefois de subir des traitements de chimiothérapie préventive afin de mettre toutes les chances de mon côté. Il n'y avait pas d'urgence, je me présenterais en oncologie après avoir repris mes forces.

Vous vous rendez compte? Guérie! J'étais guérie pour de bon! Je nageais dans un nuage de bonheur, je ne me posais plus de questions car j'avais toujours cette confiance aveugle en la compétence du docteur Daloze. Ce que la vie était belle! Mes prières pour obtenir du courage s'étaient mutées en actions de grâces. On m'accordait un sursis et j'avais la ferme intention de profiter pleinement des jours qui me restaient.

Avant de rentrer au bercail, j'avais besoin d'éclaircir d'autres points. À mesure que les questions surgissaient dans ma tête, je les notais sur papier afin de ne rien oublier. L'un des médecins de l'équipe vint me faire la dernière visite, à la fois de consultation et d'«au revoir et bonne chance». Le visage à demi caché sous une énorme barbe, il se laissa choir dans mon fauteuil en soupirant qu'il était mort de fatigue. Je lui dis que ça tombait fort mal car j'avais bien l'intention d'éplucher un par un les points d'interrogations qui sillonnaient mon papier. Il s'y prêta de bonne grâce, son sens professionnel empiétant sur sa fatigue.

Pourrais-je prendre tel médicament qui a toujours aidé à éclaircir les situations bilieuses tout en agissant sur les intestins? Certainement! En cas de douleur, quel comprimé était le plus indiqué? Tylenol! Parfait! Etc. En fin de liste: quand pourrai-je prendre un bain de mousse? (Détente sublime et parfumée! Récompense de mes journées!) Oh! là, il me dit que pour les caprices féminins il me faudrait attendre. Tant que la plaie du périnée ne serait pas fermée, l'eau claire ou additionnée de savon médicamenteux insipide et inodore devrait me suffire. Pour être franche, je posais cette question en connaissant déjà la réponse. Mais j'avais tellement hâte d'être en mesure de le faire! Le lavage à la mitaine, ça ne procure pas une détente infinie!

La permission tant convoitée, je devais la recevoir un mois plus tard, et je vous assure que j'en ai profité! Le lait de bain est un article qui pèse lourd dans mon budget. Je n'irais pas jusqu'à dire que j'ai repris le temps perdu sur ce point, mais presque!

CHAPITRE XIII

Au début d'octobre, je rentrais à la maison. Épuisée par le voyage pourtant court, les sanglots me serraient la gorge en entrant chez moi. Tout était propre, rangé (grâce à une bonne, embauchée pour les besoins de la cause...), les chats frôlaient mes jambes et le soleil glissait effrontément par les fenêtres. La vie reprenait son cours.

Jean avait transformé la salle à manger en chambre privée afin de m'éviter l'ascension de l'escalier menant au deuxième étage. J'avais effectivement le jarret trop mou pour risquer pareil exercice. Habituée au calme de l'hospitalisation, le bourdonnement familial à lui seul réussissait à me mettre à plat. Le lit restait mon meuble de prédilection. Toutefois, comme j'avais reçu des calmants en dose massive (Dieu merci!), les médicaments courants restaient sans effet. J'avais peine à m'endormir, et le somnifère qui m'assommait si bien un mois plus tôt passait incognito dans mon système. Il me fallait doubler la dose, quitte à diminuer lentement au fur et à mesure de mon rétablissement. Le repos étant essentiel, il fallait certes que je dorme.

La plaie du périnée nécessitait encore des soins et, pour faire des irrigations locales, des infirmières vinrent à domicile. J'eus leur visite pendant une période de trois semaines et, quand j'allais leur ouvrir la porte, elles étaient toujours surprises de mon allure. Elles s'attendaient sans doute à me trouver couchée, souffrante, gardant bien au chaud ma maladie, mais il n'en était rien. Avec la lenteur d'un escargot, je reprenais petit à petit une vie active.

Le 9 octobre, c'est l'anniversaire de mon mari. À chaque année, j'essaie de lui préparer une surprise. L'année précédente, je lui avais fait parvenir à CJMS un gâteau surmonté du nombre exact de chandelles et le pâtissier avait reçu la consigne de le lui offrir pendant qu'il papoterait sur les ondes. Ses élans oratoires radiophoniques se sont stoppés tout net quand le feu de forêt (là, je suis méchante!) est entré dans le studio, au plus grand amusement du personnel du poste, qui s'était donné la main pour que le truc soit réussi. Je pense que la spontanéité qui se dégage de pareille situation est également agréable pour les auditeurs. L'animateur est là qui bafouille de joie et de surprise, et les gens trouvent ça bien sympathique.

Alitée comme je l'étais, je me trouvais plutôt à court d'idées quand le réalisateur de l'émission de Jean, qui était alors en ondes le dimanche matin, m'apporta la solution rêvée.

Sans en avertir l'animateur matinal qui bavardait au micro, il allait, par la voie du téléphone, me mettre en communication directe avec lui sur les ondes. Pour préparer le coup, il dit à Jean qu'une certaine dame Lachapelle avait un reportage à faire. L'émission tirait à sa fin et cette interruption imprévue agaçait ma vedette de mari au plus haut point. Qu'est-ce que cette femme avait à dire? Et d'abord qui était-elle? Mystère! Le réalisateur lui dit qu'elle avait le «O.K.» de la direction, un point c'est tout. De mauvais cœur, Jean décrocha le téléphone et entama la conversation. Je le félicitai pour son émission et lui fis des vœux de bonne fête, sûre qu'il allait me reconnaître. Il n'en fut rien. Je lui tendis la perche, disant qu'il me connaissait très bien. Néant! Pour s'en sortir, il me demanda mes initiales, nous passions aux charades. Je lui dis que mon nom véritable commençait par un E mais qu'en me parlant, il utilisait toujours le L (pour «Liza»). Il était toujours en pleine purée de pois et s'égarait dans les Lucille, Léona et compagnie. À la maison, les enfants étaient morts de rire! Il a fallu que je me nomme carrément, et encore, il restait incrédule. Il paraît que je ne «sonnais» pas comme une malade du tout! Enchaînant sur le coup de téléphone, le réalisateur mit en ondes la chanson de Ginette (et la mienne): *Toi, le poète*. Il restait à Jean trois ou quatre minutes à faire en ondes et c'est la voix chevrotante d'émotion qu'il les a faites. Après, il m'en voulait presque de lui avoir joué un pareil tour, mais, au fond, il était très heureux. C'était le but de l'exercice.

Le lendemain, il me donnait à son tour un coup de fil pour me dire qu'un photographe allait passer à la maison en soirée. Ah! ah! Il voulait me remettre la monnaie de ma pièce! J'embarquai dans le jeu en lui disant que, très bien, Madame la comtesse serait en beauté et prête pour la séance de pose. Je me faisais prendre à mon propre jeu puisque ce n'était pas un bateau monté mais la pure vérité. *Échos-Vedettes* souhaitait venir faire un reportage.

Cette publicité ne me souriait pas du tout à prime abord. Si j'ai cédé, c'est que j'avais déjà décidé de parler ouvertement de mon cas dans le but d'aider les personnes qui pourraient éventuellement être frappées par la même maladie.

Le photographe fut lui aussi surpris et presque déçu de me voir si alerte. Il a timidement étalé ses cartes en disant qu'il s'attendait à me photographier «un peu de travers dans le lit». Dans une position de martyre? Jamais! J'étais faiblette, maigrelette (quarante-trois kilos), soit, mais mon état d'esprit ne se prêtait pas du tout à ce genre de séance. Dans le journal, on a pu voir une femme assise dans un fauteuil, un sourire accroché entre ses deux joues creuses. Jean s'est occupé de donner à la journaliste les précisions nécessaires pour le papier, et le tout était très positif. C'était ce que je voulais et je suis reconnaissante à *Échos-Vedettes* d'avoir divulgué les faits en respectant mon point de vue.

À l'hôpital, les choses s'étaient passées trop vite. À une semaine d'avis, j'étais devenue physiquement, psychologiquement et définitivement différente. Sous surveillance constante, les patients se sentent en sécurité, ils récupèrent en ne pensant à rien d'autre. Sortie du cocon infirmier, volant de mes propres ailes (je volais bas, mais enfin...), j'ai réalisé brusquement la permanence de mon état. J'avais l'impression d'avoir fait un cauchemar, que j'allais me réveiller et me rendre compte que tout ça n'était pas vrai. Pourtant, aucun éveil n'était possible, rien ne pouvait retourner dans la nuit des songes. À partir du point X, ma vie ne serait plus jamais ce qu'elle avait été, elle serait «ça». Là-bas, j'avais subi plusieurs traitements, fait plusieurs découvertes dont la médecine nucléaire, côtoyé tout plein de personnes malades et de gens compétents, dévoués au rétablissement des patients, et, à ce moment, ma colostomie n'était qu'une nouvelle expérience parmi tant d'autres. À la maison, il ne me restait plus qu'elle et pour le reste de mes jours. Il me fallait l'apprivoiser, m'habituer à vivre en sa compagnie, réapprendre à fonctionner de façon différente.

Au bout de quelques jours, j'avais le coeur dans la gorge et la larme prête sous la paupière. Jean s'en rendit évidemment compte et je sentis que, si je flanchais, je l'entraînerais avec moi. Je me suis quand même octroyé le droit de faire une belle crise d'apitoiement sur mon sort tout en essayant de garder mes glandes lacrymales à la position «stop». Les «pourquoi?» étaient de retour et les «pourquoi pas?» aussi.

Comme précédemment, une fois le trop-plein de tension déversé dans mes Kleenex (discrètement), le calme m'est revenu en même temps que la ferme intention de livrer une lutte serrée au sac. Non, je n'allais pas passer ma vie à porter cet accessoire qui me pesait beaucoup (psychologiquement, bien sûr!). Il me fallait admettre que ce n'était pas l'idéal et qu'il serait beaucoup plus confortable de m'en dispenser. J'allais d'abord reprendre mes forces, j'y verrais après. Je savais que tous les stomisés ne parviennent pas à contrôler leurs intestins. Serait-ce possible dans mon cas? La régularité, mon côlon n'avait jamais connu ça, et je le soupçonnais d'être réfractaire à la discipline. J'allais du moins essayer, avec la ferme intention de réussir. Je n'allais pas vivre avec ma colostomie, ce serait elle qui devrait vivre avec moi.

Inquiet, Jean téléphonait plusieurs fois par jour pour s'enquérir de mon état. Il n'est pas un fan de la maladie et son calme perdu dans ma chambre de l'hôpital n'avait pas encore été retrouvé. Je passais plus de temps couchée qu'autrement, je faisais la navette entre les bouffées de chaleur et les frissons de style arctique, mais tout était normal.

Quelques jours après mon arrivée, ma voisine immédiate, Adèle (que je ne connaissais pas avant que la balle nous réunisse) vint sonner à ma porte. Si elle avait pu sonner sur la pointe des pieds, elle l'aurait fait tant elle avait peur de déranger et de trouver une copine squelettique, cernée et inapte à la conversation. Quel plaisir de la voir! Les yeux pleins d'eau, elle m'embrassa en s'extasiant de surprise sur ma mine passable. Je l'invitai à revenir aussi souvent qu'il lui plairait. Mon hiver serait un long ermitage et sa présence était des plus agréables. Elle entreprit des visites quotidiennes, toujours de courte durée de peur de me fatiguer. Chère Adèle! Elle m'a couvée, chouchoutée comme une vraie petite soeur. C'est le genre de voisine en or comme on en trouve rarement.

La plupart des autres Cléopâtre qui n'avaient pas osé se présenter à l'hôpital vinrent à tour de rôle et répétèrent leur visite. Je vous ai déjà dit que, grâce au sport d'équipe, des amitiés extraordinaires s'étaient développées. Soutenue par ces femmes, l'hiver m'a paru moins long, ô combien! et comme je suis reconnaissante de leurs attentions affectueuses!

Et puis Marie-Claude m'amena ma petite-fille Élizabeth. Allait-elle seulement me reconnaître? Depuis le temps... Mais dans un grand élan de joie, elle est venue se jeter dans mes bras! Il faut sans doute être grand-mère pour connaître la douceur d'un moment pareil. Comme j'aurais voulu la serrer, la cajoler... Je devais me contenter de la regarder trottiner et rire en cascades joyeuses.

À tour de rôle, les autres enfants venaient me rendre de courtes visites (je n'étais pas encore mûre pour les longues conférences au sommet), et Marie-Claude, moins libre à cause de sa fille et de son travail, m'écrivait à chaque jour. Avec la régularité d'une montre au quartz, elle m'expédiait quotidiennement une carte humoristique (j'en suis friande!) qui ne manquait pas de faire naître du soleil dans mon univers de malade. Son petit manège a duré pendant une couple de mois, couvrant ma période la plus difficile. Très touchant.

D'autres copines venaient aux nouvelles. Céline Hervieux-Payette, député du comté de Mercier à Ottawa; Monique Bailly, compositeur de musique, dont la sagesse et l'humour particulier me fascinent; Louise Bureau, scripteur aussi drôle que les textes qu'elle écrit; Huguette Mongeau, mon agent d'immeubles favori, et Ginette, qui ne m'avait pas lâchée. Gabriel et Viateur m'arrivèrent aussi avec leur femme. Malgré les misères, je récoltais le bonheur à la pelle!

Fin octobre, ma plaie périnéale étant complètement guérie, les infirmières à domicile cessèrent leur service, tout en restant disponibles en cas de besoin. L'une d'elles m'offrit de venir m'aider à commencer mes irrigations quand je serais prête. Un simple coup de fil suffirait. Sans que j'aie eu besoin d'elle, son offre demeurait sécurisante.

La sensibilité du périnée était tenace, et mon compagnon de tous les instants était un gros beigne de caoutchouc gonflé d'air. C'est d'ailleurs avec lui et mon mari que j'ai fait ma première sortie. Ginette était toujours en tournée et cette dernière la menait à Laval à la fin d'octobre. Je savais qu'elle interpréterait plusieurs de mes chansons, dont quelques nouvelles que je n'avais pas encore entendues. J'avais une envie folle d'assister à son spectacle, sans savoir si j'en aurais la force. Jean était réticent à cette idée, il faisait froid, le voyage risquait de me fatiguer, mais je savais que, psychologiquement, ça vaudrait mieux qu'une douzaine de bouteilles de pilules.

Ginette et Alain nous ont invités à souper avec eux avant de se rendre à Laval, ce que nous fîmes. J'ai fait le voyage d'aller avec Ginette tandis qu'Alain montait dans la voiture de Jean. Tout le long du parcours, elle me posait des questions sur ma maladie, s'informant à chaque fois si ça me dérangeait qu'elle le fasse. En général, les gens ne savent pas s'ils doivent vous en parler ou pas et elle balançait entre sa curiosité et sa sensibilité. J'ai toujours été très ouverte sur le sujet et ses questions ne m'embarrassaient pas du tout.

Assise sur mon gros beignet rouge, j'ai assisté au concert du commencement à la fin et j'étais heureuse comme ça n'est pas permis! Je ne me sentais pas démesurément fatiguée et les notes dansaient dans ma tête, ne laissant aucun espace pour les idées grises. Elle interpréta, entre autres, sa magnifique chanson *Il s'appelle l'amour*, dont j'avais fait les paroles l'été précédent mais que j'avais terminée après mon retour à la maison. Ginette était alors en studio d'enregistrement et souhaitait un texte parlé à incorporer dans l'introduction musicale. Autant j'étais contente de reprendre la plume, autant le travail était laborieux. J'ai quand même réussi à écrire ce qu'elle désirait, et, si vous avez entendu la chanson, vous devrez admettre que l'effet est des plus réussis et que l'idée était très bonne. Bravo, Ginette!

Mon retour à la machine à écrire s'était fait assez rapidement puisqu'une semaine après ma réintégration au foyer je reprenais la rédaction des textes de Serge Bélair. La sueur au front et les pieds gelés, je faisais un ou deux feuillets par jour pour en arriver au travail d'une semaine complète le jour du *deadline*.

D'une conquête à l'autre, je me sentais renaître. Je sais que la maladie, la vieillesse et la mort vont finir par me terrasser mais je vous jure que je vais me défendre! On ne m'aura pas facilement!

Quand il était à la maison, mon Jean s'était transformé en garde-du-corps. Il me surprotégeait, surveillant étroitement mes mini-activités et mes coups de fatigue. Ma main tremblait-elle en arrosant les plantes? Il m'intimait l'ordre d'aller m'asseoir, ce à quoi je n'obéissais pas. J'étais la personne la mieux placée pour connaître mes limites et j'avais besoin de me sentir capable d'évoluer, ne fût-ce qu'au ralenti. Mes mains ont d'ailleurs tremblé pendant six mois, ce qui ne m'a pas empêchée de faire un tas de choses.

Exactement le 21 octobre, ayant repris un minimum de forces, je m'attaquai aux irrigations, toute seule, sans m'énerver. Le système en soi est d'une grande simplicité. Il suffit de mettre de l'eau tiède (un peu plus froide que chaude) dans le sac prévu à cet effet et de le suspendre pour qu'il arrive à hauteur d'épaule. La quantité d'eau à employer varie d'une personne à l'autre et on découvre soi-même la quantité idéale dans son cas. Pour moi, il s'agit d'un litre et demi. À l'extrémité du tube, deux attaches sont possibles: un cône ou un cathéter. Personnellement, je préfère le cône car il ne représente aucun risque de blessure. L'intestin étant dépourvu de sensibilité, en introduisant la tige de plastique, j'aurais peur de me blesser sans m'en rendre compte. À l'aide d'un cran d'arrêt, il est possible de contrôler le débit de l'eau à volonté. Pour éviter les dégâts et les éclaboussures, un long manchon de matière plastique a été prévu et tient en place à l'aide d'une ceinture. Pas sorcier, n'est-ce pas? Il suffit de garder son calme pendant les premières tentatives et de prendre le temps voulu. L'eau et les matières fécales peuvent mettre environ une heure à effectuer le voyage de retour, mais, dans mon cas, trente ou quarante-cinq minutes suffisent.

Contrairement à mes premières expériences à l'hôpital, l'exercice n'était pas pénible du tout mais les résultats obtenus m'auraient valu un beau zéro sur un bulletin. L'eau entrait dans l'intestin mais n'en ressortait plus (Dieu sait où elle allait jouer à la cachette!), le niveau de l'eau remontait dans le sac plutôt que de baisser, la stomie n'avait pas du tout compris qu'en dehors de l'heure choisie elle devait se fermer la trappe, autant de faits qui me laissaient médusée et incertaine de la réussite. Mais Jean ne me traite pas de «tête dure» pour rien. J'avais décidé d'y arriver, quitte à y mettre deux ans.

Un mois et demi plus tard, soit le 2 décembre (quelle précision!... mais l'événement revêtait une telle importance pour moi!), mes intestins faisaient preuve d'une obéissance mitigée qui allait se transformer rapidement en obéissance angélique. Je pouvais désormais porter un simple couvre-stomie, minuscule pansement plasticisé de cinq centimètres carrés et muni d'un filtre désodorisant pour les gaz. Pour être honnête, avouez que, sur ce plan, je suis mieux organisée que les gens dits normaux.

En songeant à ma nouvelle routine, j'ai trouvé une comparaison qui se rapproche assez de la vérité, me semble-t-il. Je me suis dit qu'auparavant je possédais une transmission automatique et que, sa mécanique étant défectueuse, on m'avait installé une transmission manuelle. Il suffit de m'embrayer une fois par jour et le tour est joué! Dans le domaine de l'automobile, j'ai toujours préféré la conduite manuelle, qui donne un meilleur contrôle de la situation; alors...

Et, vous savez, depuis ce temps, je suis par la force des choses beaucoup plus à l'écoute de mon corps et de ses besoins. Si je m'alimente mal, je le sais. Pas besoin de télégramme pour comprendre que j'ai besoin d'absorber plus de liquide. J'ai des réponses claires et nettes.

Je n'ai jamais aussi bien digéré de ma vie et je peux me permettre de manger n'importe quoi, du maïs en épi aux fèves au lard. La seule chose à éviter, c'est l'aliment cerné de grands fils, comme le céleri ou les haricots, ayant dépassé la tendre jeunesse, à moins que je me donne la peine de très bien les couper et de les mastiquer à outrance. Ce n'est pas drastique comme régime alimentaire, n'est-ce pas? À heure fixe, je dois m'astreindre à un traitement? Ne devons-nous pas tous accorder un certain laps de temps pour ce genre de nécessité? Dans mon cas, j'ai rendez-vous à heure précise, c'est tout.

Au début, j'avais décidé de faire cette irrigation le matin, après mon petit déjeuner. (Avant ma maladie, ce repas était composé de café et de cigarettes. Maintenant, je prends un vrai petit déjeuner. J'ai reçu une infusion de sagesse...) Mais après mon retour au travail extérieur en septembre 1981, cet horaire bousculait mon emploi du temps. J'ai donc décidé de transférer le tout en soirée. Je m'attendais à une révolte interne passagère, à des répercussions temporaires, mais il ne s'est rien produit de désagréable. Le changement de routine s'est fait sans bavures (c'est le cas de le dire...), aussi facilement qu'un fil numéro dix glisse dans le chas d'une aiguille à laine.

En toute quiétude, je peux porter des maillots de bain et des vêtements légers, et, au cours de l'été, j'ai pataugé dans la piscine comme tout le monde, ce qui a surpris bien des gens mal renseignés sur le sujet.

Comme le disait garde Bélanger: je serais un cas type de réussite. Et pourquoi pas? Une grande partie de ce succès prend sa racine dans la tête (non, non! n'allez pas supposer que j'ai l'intestin grêle greffé dans la nuque!); quand on veut vraiment atteindre un but, toutes les chances sont de notre côté. Au bout de la ligne, je suis joliment contente de moi!

Le docteur Daloze, me trouvant suffisamment rétablie au début de décembre, décida qu'il était temps de m'inscrire en oncologie. Le docteur Pierre Band serait mon médecin traitant.

On entend beaucoup parler de chimiothérapie, souvent à tort et à travers. On fixe habituellement le projecteur sur les cas complexes, on étale des traitements de choc qui ne sont pas nécessaires pour tous les cancéreux. Les nausées épouvantables, la perte des cheveux, les douleurs cruciales, le vieillissement prématuré, autant d'images qui donnent une idée peu rassurante sur le sujet.

Je me posais évidemment un tas de questions mais, pour assurer ma santé future, j'étais prête à tous les inconvénients. Si mes cheveux tombaient, c'était tant pis! Je passerais l'hiver avec une bonne grosse tuque sur la tête. Les nausées, les douleurs? Je verrais en temps et lieu; il existe plusieurs médicaments propices à soulager ces malaises. Je me sentais aussi d'attaque qu'avant l'opération. J'avais réussi à traverser avec succès la période la plus cruciale, je saurais bien venir à bout de la suivante.

Le docteur Daloze m'avait déjà conseillé la méthode du cathéter placé directement dans le foie, traitement révolutionnaire et extra-efficace qu'il qualifiait de «petite merveille». Sans savoir pourquoi à ce moment, je sentais qu'on surveillait mon foie de façon spécifique. Il fallait le protéger, ce petit. Ne connaissant pas du tout le façon de procéder pour l'installation du cathéter ni son fonctionnement, je ne trouvais pas l'idée très rassurante.

Le docteur Band me conseilla le même type de traitement tout en me laissant pleine liberté de choix. Je pouvais opter pour une méthode plus conventionnelle si je le désirais.

Puisque mes deux spécialistes étaient d'accord, je me suis rangée dans leur camp sans trop savoir à quoi m'attendre. J'allais plus tard poser ouvertement les questions qui me trottaient dans la tête. Ce tube qu'on allait installer de façon permanente pour environ six mois, comment allait-il être introduit dans mon foie? Une incision quelque part? Il faudrait qu'il soit relié à quelque chose, mais à quoi? Ça marcherait comment? Chaque personne réagit de façon différente à la chimiothérapie; je réagirais comment? Mon traitement n'étant que préventif, le dosage serait minime et, administré directement dans le foie, les effets secondaires étaient habituellement moins perceptibles, moins violents; mais je ressentirais quoi?

Je ne trouvais pas la situation réjouissante, ni rassurante, mais j'avais toujours cette confiance sans bornes en la compétence de mes médecins et je me disais qu'étant suivie de près, si quelque chose d'imprévu se produisait, on serait rapidement là pour limiter les dégâts. De toute façon, j'étais guérie et je n'allais pas gâcher ma vie à me casser la tête pour des malaises hypothétiques.

J'ai compris plus tard que si le traitement par cathéter représentait de grands avantages, il fallait une force de caractère particulière pour mener à bien ce projet.

Pour mettre du soleil dans ma convalescence, Ginette Reno m'a offert cette magnifique poupée de porcelaine qui ne m'a plus quittée depuis. Adorable poupée! Extraordinaire Ginette!
(Photo publiée dans Échos-Vedettes, en octobre 1980.)

Faiblette, maigrelette, je suis enfin de retour à la maison. La guérison est à la porte, porte que j'ai grande ouverte. (Photo publiée dans Échos-Vedettes, en octobre 1980.)

Élizabeth, la plus belle et la plus intelligente petite-fille au monde!
À deux ans, elle chante déjà devant un miroir en utilisant une houppette à maquillage en guise de micro... Se préparerait-elle à prendre la relève de grand-maman?

Nous avons une crèche de Noël spéciale. Sur une base de boules de styrofoam et de vieilles radiographies (pour donner la rigidité aux corps), j'ai tricoté une cinquantaine de personnages: l'Enfant Jésus, le boeuf et l'âne, des santons de toutes sortes, et, en plus, notre propre famille. En gros plan, vous voyez ma fille et son petit bout de chou dans ses bras. À droite, c'est moi-même avec une pincée de fleurs à la main. J'étais depuis longtemps fleuriste de coeur...

Jour de l'An 1981, la rencontre traditionnelle des Clément est teintée de tristesse. Papa est en clinique, incapable de se joindre à nous, et, sous ma robe large et longue, ronronne ma pompe distributrice de chimiothérapie. J'ai immobilisé mon bras avec une écharpe et, assise près de ma mère, je trouve quand même que la vie est très belle.

CHAPITRE XIV

Pour l'installation du cathéter, je fus de nouveau hospitalisée. On avait prévu trois ou quatre jours, je suis restée huit jours. J'avais demandé une chambre privée, parce que j'en préférais la quiétude et qu'à cause de mes irrigations je me sentais mal à l'aise d'imposer à une autre malade mes séjours prolongés dans la salle de toilette.

Dans la section des transplantations, où je devais séjourner, aucune chambre privée n'était libre, et je devrais me contenter d'une double. Jean me reconduisit donc dans la chambre occupée par Mme Boisclair, qui me regarda entrer avec des yeux hargneux et ne se donna pas la peine de répondre à ma salutation timide. J'aurais préféré me retrouver ailleurs. La pièce était petite, encombrée, mais enfin, je me suis dit que je n'étais là que pour quelques jours... Ce secteur de l'hôpital ne comprend qu'une dizaine de chambres et regroupe en grande partie des greffés du rein. Ils étaient presque tous plus jeunes que moi et je me sentais presque gênée de ma bonne mine.

Le lendemain matin, ma compagne et moi étions assises face à face dans nos fauteuils en attendant le petit déjeuner. Le silence régnait toujours. Je remarquai son teint et ses yeux jaunis, son énorme ventre, et, pour entamer la conversation, je lui demandai ce qui la faisait souffrir. Cirrhose du foie (elle n'avait pourtant jamais bu de sa vie, sauf quelques gouttes de crème de menthe dans son thé), son cas était désespéré. On attendait, dans l'espoir ultime et risqué de tenter sur elle une greffe de l'organe malade. J'ai alors compris son attitude. Âgée de quarante-trois ans, elle se retrouvait accablée de souffrances presque intolérables et aux portes de la mort. J'étais encore mal à l'aise. Comparée à la sienne, ma condition frôlait l'insignifiance.

Comme entre deux soldats réunis sur un champ de bataille, la sympathie s'est vite glissée entre nous. Avant le début de mes examens, sachant que je ne pourrais plus le faire après, je suis allée prendre un bain; elle demanda aux infirmières de l'aider à en faire autant. Je demandai la coiffeuse; elle voulut se faire faire une beauté elle aussi. De temps à autre, j'arrivais à la faire rire en lui racontant toutes les drôleries qui me venaient à l'esprit. Son mari et ses filles remarquèrent un changement d'attitude chez elle et j'étais heureuse d'arriver, de façon bien minime, à tamiser un peu l'angoisse qui la hantait. En vue de la greffe hypothétique, on la tenait constamment sur la brèche, il fallait qu'elle soit prête à toute éventualité. À chaque jour, on l'amenait subir des examens en médecine nucléaire ou ailleurs, ce qui la fatiguait beaucoup. Seul un sérum quotidien et particulier la maintenait dans une vie précaire. Ses vaisseaux sanguins étaient en piteux état, et quand elle voyait arriver l'infirmière qui allait installer son soluté, elle pleurait, se révoltait, refusait, pour toujours en finir avec l'aiguille dans le bras. Malheureuse femme!

J'avais recueilli plus d'explications sur l'application de mon traitement personnel. Un tube allait être glissé dans l'artère qui passe (mine de rien) sous le bras gauche. S'occupant du cheminement du minuscule boyau, le docteur Bélanger, spécialiste en la matière (et pourvu d'une patience angélique, selon les autres médecins), allait le pousser jusque dans le foie, via l'aorte.

Pour eux, c'était presque une question de routine, mais ça ne l'était pas pour moi! L'aorte n'est pas un grand boulevard, quand même! Mais enfin, ils savaient ce qu'ils faisaient et j'avais encore entièrement confiance. Une fois mis en place, le tube serait relié à une pompe actionnée à batterie, appareil à peu près de la taille d'une caméra et qu'il me faudrait porter vingt-quatre heures par jour en usant de mon ingéniosité. Ça pouvait disparaître aisément sous le vêtement, m'avait-on dit; j'ai eu plus tard la preuve du contraire dans mon cas. Sans doute trop maigrelette, j'ai toujours promené une protubérance carrée sous mes robes de maternité. Inconvénients ou pas, j'étais prête à faire tout ce qu'il faudrait.

On procéda aux examens préparatoires. D'abord, l'étude des vaisseaux sanguins: la «carte routière» qui varie d'une personne à une autre. Les cardiaques subissent un test identique servant à identifier et localiser les occlusions ou autres problèmes. Ce que je déteste, c'est qu'avant chaque opération on vous fait signer un papier dégageant les opérants et l'hôpital de toute responsabilité. Ça m'a toujours donné l'impression que je leur attribuais par ce geste la permission de manquer leur coup. Néanmoins, ma foi en leur compétence a toujours primé dans mon évaluation des choses.

Alors que j'étais sous anesthésie locale après une injection de Valium (Dieu merci!), le docteur Bélanger me fit une incision dans l'aine et y injecta un liquide iodé qui permet la production d'une couleur détectable par la radiologie. L'infusion brusque du liquide produit au creux de l'estomac une sensation de brûlure désagréable mais qui ne dure que quelques secondes. Quand tout est fini, on compresse l'artère incisée et le patient retourne à sa chambre sur civière, la jambe raide, bien droite, bloquée sous un pansement compressif, avec l'ordre de garder cette position jusqu'au lendemain. Ce soir-là, mon menu se composait de spaghetti. Avez-vous déjà essayé de manger ces longues pâtes molles, couché sur le dos? Faut le faire!

Le plan de mes conduits internes étant satisfaisant, on procéda à l'opération proprement dite. Même chose que la première fois, si on fait exception de l'itinéraire. Le bras gauche complètement engourdi, je suivais sur l'écran le cheminement du tube que le docteur Bélanger maniait de surprenante façon. Insérant une petite tige de métal flexible dans l'orifice du tube, il parvenait à le faire glisser exactement là où il le désirait. Je m'attendais à sentir des chatouillements, des gargouillis quelconques... Rien! J'étais ravie de visionner mon intérieur aussi facilement que de m'examiner le nez dans un miroir. On ne peut pas admirer ses artères, son aorte et son ossature à tous les jours! Le médecin se guidant sur la «carte routière» accrochée au mur, il lui fallut près de deux heures pour terminer sa besogne.

À mon retour à la chambre, Mme Boisclair soupirait d'aise. Elle avait trouvé qu'on avait mis bien du temps et s'était inquiétée de mon sort. Nous étions devenues des amies d'infortune.

Outre la batterie motrice, ma caméra particulière contenait un petit sac rempli de liquide. Goutte à goutte, je recevais mon premier traitement de chimiothérapie. Deux ou trois jours après la fin de ce traitement d'une durée de sept jours, je ressentirais possiblement une fatigue intense, mais, dans ce domaine, chaque personne réagit à sa façon. Je devrais me présenter à l'hôpital une fois par semaine afin que M. Lamothe, technicien spécialisé dans ce genre de tuyauterie, fasse le changement de batterie et de sac. (Il y avait aussi des changements de la garde-malade, parfois...) Une semaine de chimiothérapie, suivie de trois semaine de liquide à base d'héparine ayant pour unique mission de garder la voie libre, et on recommencerait.

J'examinais ma situation et j'avais l'impression d'être une sorte de femme bionique...

Sans être de routine, ce traitement est utilisé depuis une couple d'années. En théorie, c'est effectivement une petite merveille; on traite directement l'organe qui nécessite une protection spécifique. En pratique, c'est autre chose. Personne ne m'a rien dit de tel mais je crois avoir aidé un tout petit peu à faire avancer les recherches et j'étais contente d'avoir la chance de contribuer directement à la lutte contre le cancer. Je n'ai jamais rien regretté.

Quand j'eus mon congé, Mme Boisclair réagit violemment. En si peu de jours, elle s'était attachée à ma présence comme une personne sur le point de se noyer s'accroche à n'importe quoi flottant à sa portée. Elle refusait mon départ et me suppliait même de l'emmener avec moi. Jamais de ma vie je n'avais côtoyé une personne aussi désespérée, aussi près de la mort, et ça me faisait mal. Je lui promis de venir la saluer lors de mes visites hebdomadaires et je tins promesse. Elle commençait à divaguer et, à chaque fois qu'elle me voyait arriver, elle croyait que j'allais m'installer dans le lit resté vacant à ses côtés. Quelle pitié!

On tenta sur elle la greffe du foie et, après plus de dix heures d'opération, au seuil de la réussite, une hémorragie interne l'emporta. Attachée à elle moi aussi, j'en fus très bouleversée et j'écopai d'un choc psychologique. Jusque-là, l'installation et le port de mon engin ne m'avaient inspiré aucune crainte, et voilà que je cherchais des «bibittes», redoutant de plus belle les complications. Pendant une dizaine de jours, je suis restée tendue, sur le qui-vive, puis, réalisant la source de mes inquiétudes, le calme m'est revenu.

Mes visites au département des transplantations étaient si fréquentes qu'il eût presque été préférable que je m'y installe en permanence. Aussitôt que je bougeais le bras gauche, le sang rougissait les pansements et je devais me rendre à l'hôpital pour une vérification médicale. Deux fois, trois fois par semaine, j'effectuais le voyage Boucherville-Montréal, ce qui représentait des problèmes puisque je ne pouvais pas conduire ma voiture. Quand ça se produisait en soirée, Jean m'accompagnait, mais il était tellement nerveux (dans le style du futur papa qui conduit sa femme sur le point d'accoucher..., vous voyez le genre?) que ça me rendait terriblement mal à l'aise. Personnellement, ça m'agaçait de me déplacer de la sorte mais je n'avais aucune crainte. Le docteur Daloze m'avait dit que rien de dramatique ne pouvait se produire, ni à l'intérieur ni à l'extérieur, et, comme toujours, je le croyais sur parole. Je suis souvent partie pendant les heures de travail de Jean, ce qui n'était guère mieux. Les taxis ou l'ambulance devenaient onéreux à la longue, et Adèle, ma chère et dévouée voisine, joua à l'ambulancière privée à plusieurs reprises.

Pour essayer de pallier aux inconvénients, on abaissa le taux d'héparine contenue dans le liquide qui m'était infusé. De plus, je bougeais le moins possible, et, pour éviter les grands gestes durant mon sommeil, j'avais une fois de plus sorti un exemplaire de mon système D. Dans ma panoplie sportive, j'avais un bandeau de tête en tissu éponge ainsi qu'un serre-poignet (nouveau mot que j'offre bénévolement au *Petit Robert*) assorti. J'y ai collé des carrés de Velcro, et, enfilant la première pièce dans la cuisse gauche, je m'y collais le poignet. Pas très confortable mais efficace. Dans la journée, au cas où j'aurais une envie soudaine de me gratter le dos, je portais le bras en écharpe. Impossible de prendre un bain (ou presque...), impossible de me laver la tête ou de me coiffer toute seule... Pénible! Mes amies, ma soeur, plusieurs coeurs me soutenaient et plusieurs mains s'offraient pour me dépanner dans les besoins essentiels. Le plus jeune de mes fils, Jean-Philippe, m'a même lavé les cheveux une fois. Il en a profité pour me donner une douche et me faire un grand ménage du printemps dans les oreilles et autres cavités environnantes, en plus de rincer ma robe de chambre et le plancher de la cuisine. Mais les intentions étaient bonnes et j'avais la tête bien nette.

Suite à ma mutilation physique, je ne me suis jamais sentie «infirme»; je suis simplement «différente». Pourtant, dans la situation où je me trouvais avec la pompe, je me classais nettement dans la catégorie des handicapés et je ne pouvais attendre aucune amélioration avant la fin du traitement, avant le 11 mai, plus exactement (j'avais fait tous les calculs précis...) Mais j'avais décidé de tenir le coup, et j'y arriverais. Ce n'était que temporaire et je rêvais déjà à ma future saison de balle molle en me promettant de courir comme un chien fou pour rattraper le temps perdu.

À Noël, j'ai quand même insisté pour que la famille se réunisse au réveillon. Autrement, ça n'allait pas être un vrai Noël. Je n'oublierai jamais l'arrivée de ma petite-fille, que je n'avais pas vue depuis trop longtemps. Elle est entrée dans la maison en courant, avec un grand sourire

183

épanoui, et elle est venue se jeter sur mes genoux. Je l'ai serrée contre moi avec mon seul bras disponible, mais ce que j'aurais donné pour la prendre et l'envelopper de mes deux bras comme j'en avais une envie folle! La frimousse de cette enfant accentuait encore davantage ma combativité et me faisait apprécier plus intensément la chance que j'avais de vivre et de recueillir pareil morceau de bonheur.

Habituellement, pour les fêtes, je vois à tout. Je décore la maison de la cave au grenier, j'emballe les cadeaux en cachette et je brasse les tourtières et la dinde. Cette fois, vêtue d'une robe de maternité (pour abriter mes trucs bioniques...), le bras attaché par un joli foulard assorti à ma toilette, je regardais les enfants et Jacqueline, la soeur de Jean, s'occuper des préparatifs, et, malgré nos efforts, Noël était parfumé de tristesse. Au dépouillement de l'arbre, Jean me remit un trophée dédié à la «Championne du Courage», ce qui eut pour effet de déclencher le mécanisme des écluses de plusieurs personnes dont la principale intéressée. À mes yeux, il ne s'agit pas de courage. Si vous vous trouviez dans un immeuble en feu et que vous ne disposiez que d'une seule porte de sortie, vous l'utiliseriez, quitte à vous blesser en le faisant. Vous n'auriez pas, ainsi, de courage particulier; vous sauveriez tout simplement votre peau de la seule façon possible. Terry Fox a fait preuve d'un courage énorme. Il avait la possibilité de se laisser soigner tranquillement, de récupérer jusqu'à un certain point, de laisser le reste de sa vie s'écouler le plus en douceur possible, mais il a décidé de crier le destin des cancéreux au monde entier. Il méritait les trophées et les honneurs; pas moi. Se battre pour sauver sa peau, c'est de la légitime défense.

Je trouve d'ailleurs que les mots «courage» et «héroïsme» sont souvent utilisés à tort et à travers. Je soupçonne plusieurs de nos soi-disant héros historiques d'avoir été coiffés d'une auréole qu'ils méritaient plus ou moins. Dans nos livres d'histoire, on les couvre de lauriers, mais, à mes yeux, quand une fille a un Indien sanguinaire aux trousses, elle se bat jusqu'à ce que mort s'ensuive parce qu'elle tente désespérément de sauver sa peau (à défaut d'avoir sauvé son mouchoir). Madeleine de Verchères était une fille brave. Mais héroïque? Je n'en suis pas certaine. Je me demande aussi si elle était aussi belle et racée que la statue qui trône sur le quai de Verchères... Je me pose la question à chaque fois que je la regarde, cette statue. Ce que j'aimerais connaître l'histoire du Canada telle qu'elle a été et non telle qu'on nous l'a racontée. Je suis certaine que nous aurions de jolies surprises!

Héroïque ou non, Madeleine de Verchères n'a jamais connu les pépins «pompeux» de la chimiothérapie tels qu'ils m'ont été servis. Mon éventail s'élargissait continuellement: air ou granules de sel galvaudant à l'intérieur du tube; résultat: hôpital. Et puis, le sac qui se vidait trop vite ou trop lentement... Heureuse compensation: la chimio passait très bien. Aucune perte de cheveux, absence presque totale de nausées, et rares coups de fatigue.

Janvier le douze, début du deuxième traitement de chimio après trois semaines de liquide anodin. On me fit passer au préalable une «carto» en médecine nucléaire pour s'assurer que le tube était bien resté en place. Pour passer cet examen, on devait injecter un liquide radioactif dans le tube, ce qui permettrait de voir sur le petit écran le point de chute du médicament.

L'arrivée de M. Lamothe avec la seringue remplie de liquide à base de radium me fit pouffer de rire. Il la transportait dans un contenant rouge zébré de ruban argenté et avec autant de précautions que s'il s'était agi d'un explosif de style cocktail Molotov. J'allais avoir ça dans le corps? Faudrait-il que j'évite de me cogner contre un mur pour éviter l'explosion? Le technicien riait de mes blagues tout en agissant avec une extrême prudence. Après quatre heures d'attente, je devais me présenter en médecine nucléaire, ce que je fis.

Mon foie jouait encore le feu d'artifice dansant sur l'écran; donc, le cathéter avait gardé le statu quo. Parfait! On installa dans le boîtier le nouveau sac contenant la médication et j'allai rencontrer le docteur Band pour lui faire mon rapport mensuel. Il m'avait demandé de noter consciencieusement tout ce qui se passait pendant et entre les traitements et je tenais un livre de bord que j'allais éplucher à son bureau. Tout était sous contrôle.

Pourtant, le samedi de cette même semaine, je commençai à me sentir fiévreuse, fatiguée, ayant en plus un léger malaise à gauche sous les côtes. Effets de la chimio, pensai-je.

Le dimanche, j'étais parcourue de frissons et la douleur s'était accentuée. Heureusement, je devais me rendre à l'hôpital le lendemain, car ce serait la fin de mon traitement et le changement de sac et de batterie.

En ce lundi matin, j'avais tellement mal au côté que je ne savais pas comment je ferais pour sortir de mon lit. J'étais seule à la maison, Jean étant à son travail et les enfants à l'école. Je finis quand même par y arriver, fis mon irrigation et partis en taxi pour l'hôpital, courbée en U par la douleur. Le docteur Daloze fut surpris de mon état et décida de me garder sous observation pendant quelques jours. Je retournai m'étendre sous les appareils volumineux du docteur Bélanger, qui constata que le cathéter s'était déplacé, laissant le médicament glisser là où sa présence était interdite. Retirant le tube de quelques millimètres et jouant encore de la tige rigide, il réussit néanmoins à le remettre en place. Trois jours plus tard, je pouvais retourner chez moi, à peu près rétablie et sans que l'incident n'ait causé de dommages. Je recevais maintenant le liquide à base d'héparine, qui, lui, pouvait aller se loger n'importe où sans causer d'état de crise.

Du côté du bras, ça allait beaucoup mieux. J'avais si bien poussé l'immobilité que mes pansements restaient immaculés et que mon épaule était ankylosée. Plus besoin de bandeaux à Velcro, rien ne bougeait plus. Les articulations boiteuses, j'y verrais plus tard. J'avais au moins la compensation de limiter mes voyages à Notre-Dame.

Les choses étaient enfin stabilisées? Erreur! En février, avant le début de mon troisième traitement de chimio, le docteur Bélanger me fit un nouvel examen pour vérifier l'emplacement exact du cathéter. Eh bien non! Il avait dansé ici et là au rythme de la pression sanguine. Tige rigide, pression de liquide dans le tube, rien n'y fit. Il ne restait qu'une solution: l'enlever, quitte à le remettre en place après trois semaines de repos.

Ce que j'étais déçue! J'allais en avoir jusqu'en juin! Mais, trouvant des miettes de positif, je me dis que j'allais pouvoir enfin me laisser tremper dans un bain surchargé de mousse parfumée et en profiter pour me dégourdir le bras.

De concert, les docteurs Daloze et Band décidèrent de mettre la pompe au rancart et d'utiliser une forme de traitement plus conventionnelle. Selon l'oncologiste, j'aurais eu droit au championnat des emmerdements. Il n'avait jamais vu autant de pépins groupés en chapelet, car la plupart des patients réussissent à mener à terme la période de traitement prévue. Mes artères seraient trop petites, semble-t-il. J'avais au moins reçu deux doses massives de chimio directement dans le foie et c'était déjà appréciable. Rien n'est perdu, dans ce domaine.

Depuis ce temps, je reçois une injection intraveineuse à chaque mercredi et j'avale six comprimés à tous les dimanches. Pour combien de temps? C'est la seule question à laquelle le docteur Band n'a pas voulu répondre. Avec le cathéter, une période de six mois eût été suffisante. Dans la situation présente, on escompte une suite ininterrompue de médication pendant une couple d'années. Comme pour n'importe quel remède, viendra un temps où l'organisme, habitué à sa présence, le laissera passer sans rouspéter ni en tenir compte. En profane que je suis, c'est du moins ce que j'ai compris de la situation.

Le mercredi et le dimanche m'apportent un peu de fatigue et de somnolence, le tout assaisonné de légères nausées. Pas de chute de cheveux ni de vomissements, donc rien de dramatique. Ces jours-là, je roupille deux ou trois heures en fin d'après-midi et le tour est joué. Je me suis rendu compte que si je me couchais avant de me sentir mal, les désagréments disparaissaient en grande partie pendant mon sommeil. Le repos m'est obligatoire et je ne peux me permettre de grandes activités, ce que j'accepte, quitte à me reprendre le lendemain. Mes semaines sont amputées de deux jours mais il m'en reste cinq pendant lesquels je suis dans une forme extraordinaire.

En chimiothérapie, il ne faut pas se sentir des victimes mais des complices dans la guerre contre le cancer. Je suis prête à me battre aussi longtemps qu'il le faudra.

Jusqu'ici, je n'ai pu que suivre le cours des événements et je suis contente et satisfaite des résultats. Je protège ma santé retrouvée, et ma qualité de vie se classe dans les trois étoiles.

CHAPITRE XV

Quand la saison de balle molle a commencé à prendre forme et que les inscriptions se sont montré le bout du nez, je fus la première à m'inscrire. Serais-je en mesure de jouer? Nous étions en avril, je n'en savais rien mais j'espérais de toutes mes forces. Les joueuses étaient choisies par repêchage, et le directeur de la ligue, affirmant que je ne pourrais pas me soumettre au rythme de ce sport, me classa comme joueuse de réserve de mon ancien club, les Cléopâtre. Je n'étais pas, selon lui, une valeur assez sûre pour qu'on me repêche. Soit! Je me suis promis de le faire mentir.

Les femmes avaient commencé à s'entraîner en gymnase à chaque fin de semaine et, succombant à une envie folle, je suis allée leur rendre visite. Assise sur un banc, je les regardais courir, lancer, attraper, s'amuser comme des enfants, jouissant d'une forme superbe.

Frappée de plein fouet, je croulai sous un coup de dépression. Pourquoi moi et pas elles? Pourquoi, sur cinquante femmes, a-t-il fallu que ce soit moi qui soit atteinte par la maladie, un cancer nécessitant une amputation minime mais permanente?

Tous les cancéreux passent par ce stade de révolte mais c'est habituellement quand ils découvrent leur maladie. Si j'avais réussi à jouer à saute-mouton avec la réalité au début, suivant la normalité de la situation, je trébuchais sur les faits qui me sautaient au visage. Je leur en voulais presque, à ces femmes en santé, et je me suis promis de me joindre de nouveau à leurs ébats quand je serais capable de les suivre, et pas avant.

Le beau temps était arrivé et Jean-Philippe ne demandait pas mieux que de devenir mon entraîneur particulier. Mon épaule gauche était toujours bloquée mais mon bras droit travaillait bien. Le plus gros obstacle, c'était le souffle. Une dizaine de lancers étaient suffisants pour que je pompe comme un coureur de marathon en fin de course. J'avais du chemin à faire! La saison régulière débuterait en juin et je n'avais plus de temps à perdre. À chaque jour de température clémente et exempt de chimio, fiston faisait travailler maman, dont les progrès étaient rapides.

En mai, je pouvais faire une demi-heure de balle plus une couple de sprints autour de la maison. Dissimulé derrière les rideaux, Jean suivait mes efforts, ne sachant pas s'il devait s'en inquiéter et intervenir. Comme j'avais l'accord de mes médecins, ses interventions seraient tombées dans l'oreille d'une sourde essoufflée mais heureuse.

Quand je me suis jointe à l'équipe et que les joutes de la saison régulière ont débuté, j'en ai sidéré plusieurs, à ma plus grande joie. Même si l'épaule gauche me causait toujours des problèmes, non seulement je pouvais soutenir le rythme d'une partie, mais mes capacités s'étaient nettement améliorées. J'étais physiquement plus forte que l'année précédente, mes lancers étaient plus précis, je comprenais davantage les règles du jeu et je m'amusais dix fois plus que les autres. Avant d'être opérée, je leur avais déclaré en primeur que je serais durant la saison 1981 l'arrêt-court le plus en forme de la ligue, et mon «bluff» se réalisait. Quelle merveilleuse sensation! Rien de meilleur pour le moral!

J'avais cru que l'ankylose de mon épaule allait s'évaporer comme glace au soleil, mais il me fallait admettre qu'il n'en était rien. En pareil cas, sans s'en rendre compte, on ne fait pas, dans les mouvements quotidiens, les rotations aptes à remettre les muscles en forme, pas plus que les étirements pouvant leur rendre leur élasticité. Inconsciemment, on se protège contre la douleur que provoquent les gestes excessifs. La physiothérapie devint nécessaire pour remédier à la situation. Durant un mois et demi, deux fois par semaine, je me rendais à l'hôpital Notre-Dame (ça changeait!), où, après avoir fait mariner mon épaule dans la glace, le thérapeute m'enseignait en théorie et en pratique les exercices nécessaires au déblocage. J'avais parfois l'impression qu'on se livrait à un duel. Lui qui retenait vers le bas et de toutes ses forces l'omoplate qui avait pris la mauvaise habitude de suivre l'élévation de l'épaule, et moi qui, à l'aide d'un câble et d'une poulie, tirais pour amener le bras vers le haut. C'était à se demander lequel des deux s'épuiserait le plus vite...

En faisant le bilan de ce mois de juillet, vous réaliserez que mes activités étaient nombreuses. À chaque semaine: rédaction des textes de Serge Bélair, deux joutes de balle molle, deux traitements de chimiothérapie et deux de physiothérapie. Pour assaisonner le tout: déménagement en juin.

J'ai joué dans les boîtes au ralenti mais avec aisance, et, après avoir emménagé, j'ai entrepris la décoration de la nouvelle demeure. Enlèvement de la vieille tapisserie, peinture des plafonds, pose de nouvelle tapisserie, création d'abat-jour de papier de riz, autant de travaux un tantinet éreintants mais que j'adore. Après deux ou trois semaines de fignolage intensif dans une pièce, quel délice et quelle satisfaction de s'asseoir en plein milieu et d'admirer les résultats! La décoration intérieure m'a toujours apporté un vif plaisir, me permettant de créer dans chaque pièce un décor chaud, une ambiance particulière où il fait bon vivre. Jean m'a souvent offert d'engager des peintres et des tapissiers mais je m'y opposais. Impatient, aimant les choses vite faites, il eût préféré que tout se fasse dans le plus bref délai possible. Aussi, je freinais son désir de rapidité-à-n'importe-quel-prix pour m'amuser avec les rouleaux à peinture ou de tapisserie. Il n'aime pas ce genre de travail et je n'ai jamais eu besoin de lui tordre les bras pour qu'il me laisse jouer à ma guise dans le maquillage des murs. Je crois qu'il a toujours été satisfait des résultats.

Donc, je tapisse, j'écris, je fais du sport, je me fais soigner, je m'occupe de ma famille, je ne me pose pas de questions sur mon emploi du temps mais une autre de mes amies, Huguette Mongeau, agent d'immeubles, le fait à ma place. Dans l'un des édifices dont elle est propriétaire, se trouve une boutique de fleuriste vacante. (Pas la fleuriste, la boutique!) Connaissant depuis plusieurs années mes aptitudes dans ce domaine comme dans celui de l'artisanat, elle vint m'apprendre que c'est moi qu'elle imaginait dans cette boutique. Cette déclaration me laissa froide mais songeuse. Une boutique à moi? Fleuriste? Bof!

Deux semaines plus tard, elle revenait à la charge et me poussait à aller visiter le local. J'ai dû admettre que l'endroit en question avait un énorme potentiel, équivalant au ménage qu'il fallait y faire. Aidée de mon fils comptable, j'ai pesé le pour et le contre dans le domaine financier: ça sentait bon. J'ai demandé à mes médecins si je pouvais physiquement m'embarquer dans pareille galère: ils m'ont donné le feu vert. Mes moyens financiers étant plus que restreints, je suis allée voir Ginette, de qui j'attendais des droits mécaniques (pourcentage sur les ventes de disques, qu'on remet aux auteurs et compositeurs). En faisant cette démarche, je me disais que cette somme réduirait un peu celle qu'il me faudrait emprunter à la banque à un taux d'intérêt très élevé. Sans attendre la fin de mon exposé, Ginette-au-grand-coeur sortit son carnet de chèques, me réglant non seulement mon dû mais y ajoutant une avance sur les prochaines chansons. De façon inattendue, elle allégeait le problème épineux de mon compte de banque squelettique.

À plusieurs reprises, je vous ai vanté la qualité de mes amitiés et leur importance dans ma vie. Vous en avez ici une autre preuve. Huguette et Ginette m'ont transformée en fleuriste, ce qui est pour moi une bifurcation heureuse et importante. Quand les femmes décident de se serrer les coudes, il n'y a vraiment rien qui puisse les arrêter!

En août, je prenais possession du local, et ma famille entière s'est retroussé les manches pour m'aider à donner à ce dernier une nouvelle allure. Jean jouait du marteau et de la scie (ça, il adore!), Marie-Claude se faisait aller sur le pinceau, Daniel s'occupait des fils électriques, Jean-François compilait les données financières et s'occupait de l'établissement du budget, Jean-Philippe se chargeait des courses à droite et à gauche, pendant que, personnellement, j'essayais de me détortiller, de mesurer et de tailler dans les dizaines de mètres de tissu rayé devant servir à recouvrir le plafond de façon à former un drapé rappelant les tentes hispano-moresques, selon le design d'une autre amie, Paulette Veilleux, décoratrice fort ingénieuse. Une femme de plus qui vint m'épauler en m'offrant une parcelle de son talent.

Le résultat final est des plus heureux. Lors de l'ouverture officielle, le 24 août 1981, outre ma famille, les amis et amies que j'avais invités étaient tous là pour venir m'offrir leurs voeux et attiser davantage le feu de l'amitié qui flambait au creux de mon coeur.

Les journalistes ont dit que la boutique ressemblait à une bonbonnière, ce qui est un terme bien joli et assez proche de la vérité. Les bonbons sont toutefois formés de pétales et dégagent un parfum suave.

La boutique et moi, nous nous portons très bien, merci. Je l'ai baptisée «Fleurs Plus», parce que, en plus des fleurs, je désire offrir à la clientèle un choix intéressant de cadeaux et d'artisanat. Je me suis mis dans la tête d'aider un peu les hommes (les pôvres! ils en ont parfois tellement besoin!). Pour un anniversaire ou à une autre occasion, ils ne savent souvent où donner de la tête, quoi acheter à leur dulcinée. En même temps qu'une gerbe de fleurs, ne serait-il pas romantique d'offrir un petit bijou dissimulé plaisamment dans les roses ou de glisser la gerbe fleurie dans un magnifique vase de poterie d'étain? Quelle femme resterait insensible à pareil geste? Messieurs, si vous manquez d'idées, passez donc me voir... comme dirait Philippe Bouvart sur la chaîne de la télévision française au Québec.

Un certain client cherchait quoi offrir à sa femme pour leur quarante-neuvième anniversaire de mariage. Après l'avoir guidé dans son achat, je l'ai même aidé à rédiger son message sur la petite carte. Crayon en main, il était figé devant le petit carré blanc et me demanda carrément ce qu'il pourrait bien y écrire. Je lui ai suggéré: «Merci pour ces quarante-neuf ans de bonheur.» Ça lui a plu et c'est le message qu'il a livré. Avant qu'il ne quitte la boutique, je lui ai soufflé l'idée d'acheter cinquante belles roses l'an prochain. Viendra-t-il? Je l'espère bien.

Je dois avouer que le retour au travail extérieur, après quinze ans d'abstinence, est plutôt ardu. Les talons aiguilles me remontent jusqu'aux genoux et la routine dans laquelle je m'étais enlisée en pivotant entre les quatre murs du foyer est complètement bousculée. Les travaux ménagers font la queue au verso de la liste des activités professionnelles. À chacun son tour: le lavage, le repassage, les déploiements d'art culinaire (le drame de ma vie!), tout se fait mais avec un certain désordre en attendant qu'une nouvelle routine palpitante ait pris la relève. Des centaines de femmes travaillent à l'extérieur et arrivent à tout concilier, même avec de jeunes enfants, ce qui n'est plus mon cas. J'y arriverai moi aussi.

Vous me direz qu'il n'y avait plus de trou béant dans mon emploi du temps? Il semble pourtant que si puisque j'ai accepté un nouveau défi, celui de préparer et de vous offrir ce modeste témoignage d'espoir. Mes médecins se seraient sûrement fait un plaisir de collaborer à cet ouvrage en me fournissant des données médicales que j'aurais pu intercaler çà et là, donnant plus de prestige à mes écrits. J'ai délibérément voulu garder intactes mes réactions de profane, de la patiente pour qui la médecine est du chinois. Je pense que 95% des personnes qui ont besoin d'une assistance médicale partagent avec moi ce statut d'ignorance et je ne suis qu'une femme ordinaire parmi tant d'autres.

Après ma journée de fleuriste, je jette sur papier des brouillons, que je tape à la machine le lendemain matin avant de redevenir fleuriste. Et vogue ma galère! J'ai essayé d'écrire dans mon arrière-boutique dans les temps creux, entre deux clients ou entre deux arrangements floraux. Peine perdue! Mes idées font du caprice! Elles n'acceptent d'apparaître que dans la quiétude de mon bureau, à la maison. Qu'à cela ne tienne! Je suis obligée de me plier à leurs exigences car, sans idées, il faudrait que je me contente de vous écrire une lettre, ce qui ne ferait pas du tout l'affaire de l'éditeur.

Après avoir frôlé la mort, je me suis dit que j'allais faire le maximum avec le temps qu'il me restait à vivre. Le nombre d'années? Peu importe! J'ai encore beaucoup de choses à dire, à faire, à écrire, je veux que tout plein de chanteurs et de chanteuses interprètent mes chansons, je veux rester l'appui de Jean et des enfants et regarder grandir ma petite-fille, je veux VIVRE.

Fatiguée? Pas plus que les autres. Stressée? Si peu! Et pourquoi le serais-je? La vie est belle!

Mettant le point final à la saison de balle molle, samedi le 19 septembre 1981, avait lieu la soirée de clôture et de remise des trophées. Oui, le *party* que j'avais loupé l'année précédente! Cette fois, j'étais là, entourée des femmes et des filles formant les huit équipes féminines de Boucherville. Il y régnait une certaine nostalgie, sentiment qui marque la fin d'une période heureuse. Bien sûr, nous nous retrouverons presque toutes l'an prochain, mais, entre-temps, nous devrons vivre entre parenthèses.

La table des Cléopâtre était pétillante de joie, volubile à souhait, puisque, cette année encore, nous avions gagné le championnat de la saison. Remise des médailles, photos souvenirs avec le trophée, cérémonies toutes simples pendant lesquelles les rires fusaient et les sourires s'étiraient d'une oreille à l'autre (étant dans l'impossibilité de s'étirer plus loin).

Seuls éléments de surprise planant sur le cérémonial de la distribution des prix: les trophées Diane-Sainte-Marie, pour la catégorie des filles, et Élizabeth-Morin, pour la catégorie des dames, trophées attribués dans chaque section à la joueuse ayant fait preuve du plus grand esprit sportif. Le vote se fait au niveau des joueuses et le résultat est gardé secret jusqu'à la toute dernière minute. Diane est allée remettre le trophée portant son nom, et on me demanda, en tant que fondatrice (oui! la Marguerite Bourgeoys...), d'aller de mon pas leste de sportive remettre le deuxième à la femme élue. Au moment de lire le nom sur la plaque dorée, j'eus un grand coup au coeur. «Élizabeth Morin»! Les femmes me rendaient un hommage qui me bouleversait carrément et dont j'étais très gênée. Je me sens tellement égoïste dans tout ça! J'ai mis sur pied la section des dames parce que moi je voulais jouer. Grâce à leur réponse enthousiaste, la chose est devenue possible. Ce sont ces cinquante femmes qui ont fait naître la ligue, et toutes en sont responsables. De plus, si j'ai joué avec tant d'ardeur et de fougue durant la saison 1981, c'était dans le but de me prouver à moi-même que j'avais définitivement vaincu la maladie. C'était encore du pur égoïsme de ma part et on me donnait un trophée pour ça!

Parmi les gens qui applaudissaient à tout rompre et criaient leur approbation, j'ai remarqué l'éclair de fierté dans les yeux des miens: Jean, Jean-François et Jean-Philippe (qui, lui, était plus près des larmes que d'autre chose... comme sa mère, d'ailleurs), et, sous les effusions de mes coéquipières, j'ai senti une fois de plus le gigantesque esprit d'équipe qui nous anime. Toutes ces personnes m'avaient épaulée dans les coups durs et elles étaient encore là sans jamais se démentir.

Je pense souvent que je dois une partie de ma guérison à tous ceux qui m'ont entourée, encouragée, m'offrant constamment leur amour et leur affection. Sans eux, la remontée se serait faite de toute façon, mais plus péniblement parce que sous le couvert de la solitude. Je sais que certains malades sont tout seuls pour se battre et ça me chagrine beaucoup. Quelle chance j'ai eue et quelle chance j'ai encore! Ces sportives qui m'entourent ne comprendront peut-être jamais la profondeur de ce qu'elles m'ont apporté; il faut sans doute avoir touché le fond de la vague pour comprendre. Il n'en reste pas moins que je les aime beaucoup et que la mise sur pied de cette organisation a été l'une de mes plus heureuses initiatives.

Ce trophée qu'elles m'ont décerné est bien plus que le témoignage d'un entrain déchaîné sur un terrain de balle molle. C'est aussi la concrétisation de ma victoire, de ma lutte farouche contre le cancer. Aux Cléopâtre, aux Marie-Antoinette, aux Pompadour et aux Joséphine, merci!

CHAPITRE XVI

Ma vie personnelle en est là. Vous avez sûrement constaté que je ne suis ni malheureuse, ni handicapée, ni candidate à la pitié populaire.

Le cancer n'en demeure pas moins une maladie chargée de mystère et d'angoisse. Ce fait est sans doute dû à son développement sournois, à sa sinistre réputation de tueur acharné, autant qu'à tous les tabous et toutes les idées erronées qui planent sur le sujet. Certains voient le cancer comme une maladie honteuse, une sorte de châtiment, alors que d'autres craignent la contagion.

Ainsi, un homme racontait que après avoir été traité avec succès pour le cancer, il se sentait merveilleusement bien et avait réussi à se réadapter à la vie sociale. Mais son bel optimisme s'était écroulé brutalement au cours d'une soirée à laquelle il avait été invité. Toutes les autres personnes présentes avaient été servies dans des verres tandis que lui avait écopé d'un gobelet de papier. On avait eu peur d'attraper sa maladie! En pareil cas, il faut être fort pour éviter le dépression et ne pas se sentir un paria de la société.

À cause du spectre sinistre qu'il engendre, le cancer pousse ordinairement le malade dans une période de crise qui menace sérieusement son identité car il est affecté à plusieurs niveaux: physique, émotionnel, social et spirituel. Son état ne se limite pas à sa seule personne; le malaise plane sur sa famille, ses amis, ses compagnons de travail, enfin sur son entourage tout entier. Le docteur Band me soulignait que presque tous les cancéreux réagissent positivement. Il n'en est pas de même pour les gens qui les côtoient. Ces derniers sont souvent négatifs, effrayés, surprotecteurs, et leur attitude risque de provoquer des problèmes de taille.

Il semble que le mot «cancer» porte à lui seul tout le poids du monde. On évite de le prononcer, et, s'il se glisse dans une conversation, il est la plupart du temps suivi d'un malaise et d'un silence de plomb.

En écrivant ces lignes, avec un an de recul, je réalise que personne, du docteur Caussignac à mes amies les plus intimes, n'a prononcé le mot fatidique devant moi. Au médecin consultant, j'avais carrément posé la question: «Ma tumeur peut-elle être cancéreuse?» Il m'avouait plus tard que très peu de patients abordent le sujet de front, essayant plutôt de l'éviter, de le nier, d'en retarder l'échéance.

Quand le docteur Daloze vint me parler de l'opération que j'allais subir, il a lui aussi évité le mot mais n'en a pas moins répondu à mes questions avec la plus grande franchise. Les médecins sont habitués à ce genre de situations (ou peut-être ne s'y habituent-ils jamais...), ils tendent la perche au patient et doivent être joliment soulagés quand ce dernier prend l'initiative des questions et réagit positivement dès le départ. Ils sentent sûrement si le patient est prêt ou non à envisager la vérité et n'iront pas plus loin que le seuil d'acceptation du malade, quitte à préparer doucement le terrain en attendant le moment propice pour jouer cartes sur table. Et, encore là, les cartes seront choisies selon la personnalité de chacun. On ne joue plus à la cachette comme autrefois. Le cancéreux, surtout incurable, était souvent le seul à ignorer son état véritable. Accablé de souffrances et ayant comme panorama la mine déconfite de son entourage, il l'apprenait sans doute de façon beaucoup plus tragique. Comme le silence s'était installé sur la situation, il se taisait lui aussi et devait se sentir bien seul et désespéré pour affronter la fin.

Pour ma part, j'ai été la première avisée de mon état et, étant la première intéressée, j'apprécie beaucoup que les choses se soient passées ainsi. Je ne suis pas sans reconnaître qu'une maladie dont on vous assure la guérison est plus facile à avaler qu'une autre qui est terminale. L'idée de la mutilation permanente ne glisse quand même pas dans la gorge comme une gorgée d'eau claire...

Francesca est une jeune cancéreuse qui touche à peine à la vingtaine. Je l'ai croisée à l'hôpital; nous nous sommes revues plusieurs fois à la clinique d'oncologie et nous avons bavardé. Quand je vois une telle maladie sur une tête aussi jeune, j'ai envie de hurler à l'injustice! Pas elle. Elle accepte son cas et continue ses études tout en avouant que la concentration est difficile parce qu'elle est constamment habitée par la peur que tout recommence. Ses parents et son ami? Leur attitude est super! Là où Francesca rencontre des problèmes, c'est au niveau des jeunes de son âge, ses amis, ses copines. Sa maladie ne peut passer inaperçue, et, quand on lui pose des questions, elle sent le besoin de leur faire comprendre que son cas est sérieux. Aussitôt qu'elle a prononcé le mot «cancer», la conversation tombe, s'éteint. En plus d'avoir peur elle-même, elle doit endosser la peur des autres.

Cette jeune fille m'a fait réaliser que la même chose se produit dans mon cas, si on fait exception de ma famille. En m'offrant leur amitié, en s'informant de ma santé, personne n'a jamais prononcé le mot «cancer». Les membres de l'équipe médicale du docteur Daloze, spécialistes et étudiants, entraient souvent dans ma chambre en jetant un coup d'oeil à mon dossier (donc, ils savaient) et ne m'en demandaient pas moins la cause de mon opération. Peut-être ignorent-ils si le patient le sait ou non, ou peut-être s'intéressant autant au côté psychologique que physique, me posaient-ils la question pour savoir si j'acceptais ou non, si je pouvais articuler le mot «cancer» sans faire une syncope. Bien oui! Je le disais!

Depuis lors, j'en ai toujours parlé ouvertement avec tout le monde, justement pour tenter de démystifier la maladie, d'exorciser la peur incontrôlable qui s'y rattache, d'aplanir les tabous pour que le cancer soit considéré comme une maladie parmi tant d'autres. M. Louis Lourmais, dont tout le monde connaît les exploits extraordinaires, crie ce fait avec une envergure que je n'atteindrai jamais. J'ai eu l'occasion de causer avec lui aussi et c'est un surhomme que j'admire beaucoup.

Avant d'être la proie de la maladie, j'avais la même réaction que la plupart des gens. Une de mes cousines est morte de leucémie dans la fleur de l'âge. Je l'ai rencontrée à plusieurs reprises, et jamais, au grand jamais, je n'aurais osé aborder la question! Incurable, elle n'en était pas moins souriante, sereine, et moi, en la regardant, je ne voyais qu'une morte en sursis. J'espère que d'autres personnes autour d'elle avaient l'ouverture d'esprit qui me

On célèbre l'anniversaire des deux Élizabeth. Elle fête ses deux ans, moi mes quarante-cinq. Le glaçage du gâteau semble délicieux et la petite a donné son approbation après y avoir goûté du bout du doigt: «Mmm!... Bon!» Ébahi par sa nièce, l'oncle Jean-Philippe n'est jamais très loin...

Pour pendre la crémaillère de la boutique, Serge Bélair et sa femme, la toute gentille Alice, étaient là.

D'après son air d'enfant de chœur qui vient de faire un mauvais coup, Serge venait probablement de nous servir une de ses fléchettes humoristiques aux tendances acides...

Ginette fait la bouffonne. Elle vient de nous raconter un incident cocasse survenu entre l'une de ses bonnes et elle-même, et, mime à l'appui, elle a déclenché l'hilarité générale chez mes invités.

Pour le journal Échos-Vedettes, Edward Rémy était venu aux nouvelles. Ma boutique lui doit sans doute son titre de «bonbonnière rose». Edward a plus d'une corde à son arc et garde dans le carnet de ses expériences le métier de fleuriste. Les pièce montées, il connaît ça par coeur!

À ma droite, Céline Hervieux-Payette, député du comté de Mercier au parlement fédéral. Cette jeune avocate est une femme brillante, énergique et... féministe. Nous nous sommes rencontrées lors d'une conférence de presse et nous sommes devenues des amies subito presto. Elle est née elle aussi sous le signe du Taureau, et les affinités de base, j'y crois!
À ma gauche, vous avez reconnu Shirley Théroux, cette excellente chanteuse qui, en acceptant mes textes, fait de l'interprétation à ma place elle aussi. J'ai bien fait de me taire, mes interprètes chantent toutes mieux que moi!

L'équipe des Cléopâtre entourant le trophée, symbole du championnat de la saison 1981.

Debout, de gauche à droite: Jean-Philippe Morin: l'entraîneur de relève; Monique Dubois: la distinguée; Huguette Mongeau: la commanditaire; Suzelle Boivin: la bouffonne; Monique Laporte: la douce; Gisèle Bélanger: la timide; Gaétane Racine: la distraite; Germaine Cloutier: la discrète; Adèle Palardy: la soupe au lait; Nicole Jodoin: la petite nouvelle; Jean-François Morin: l'entraîneur favori de ces dames. Agenouillées, dans le même ordre: Louise Goulet: la sage; Élizabeth Morin: l'exubérante; Anne-Marie Bourbonnais: la gentille; Monique Massé: la leader; Geneviève Laporte: la bat-girl; Pierrette Bourget: la sportive de bord en bord. Auraient dû apparaître sur cette photo: Daniel Morin, assistant-entraîneur, et Jean Morin, notre fan numéro un.

Si les enfants de plombiers jouent au plombier, il semble que les enfants d'artistes jouent à l'artiste.

Sous les pinceaux de leur mère maquilleuse, Jean-Philippe et Éric fêtèrent l'Halloween déguisés en personnages du groupe Kiss. Il paraît que ces chanteurs n'ont jamais été vus sans maquillage et c'est compréhensible. Avec le temps qu'il faut y consacrer, ils doivent garder leur tête barbouillée pendant plusieurs jours!

*La confidente de milliers de personnes malheureuses.
Vous avez sûrement reconnu Solange Harvey, rédactrice du «Courrier du Bonheur» dans le* Journal de Montréal *et dispensatrice de sérénité pour les personnes inscrites à ses cours de relations humaines.
Son amitié l'a poussée à m'offrir le témoignage qui se trouve à la fin de ce livre, témoignage touchant mais qui cherche à mettre du vent dans les voiles de mon humilité. Tant pis!*

manquait; autrement, elle a dû souffrir beaucoup de la solitude et du manque de communication. Dommage!

S'il arrive souvent que le milieu familial supporte effectivement le cancéreux, le contraire se produit aussi sans qu'il y ait toujours mauvaise volonté. Je connais une femme qui a subi une opération identique à la mienne à peu près au même moment. Pendant sa longue convalescence, son mari a trouvé maîtresse (un homme est un homme, après tout!). Aujourd'hui, il quitte son épouse pour aller vivre avec sa conquête. En plus de remonter la pente de la maladie, cette femme doit faire face à des problèmes émotifs de taille. Frapper une personne à terre a toujours été lâche à mes yeux.

Certains couples divorcent parce que la maladie est longue, surtout en incluant la chimiothérapie, qui ne laisse pas le sujet dans une forme éblouissante vingt-quatre heures par jour, sept jours par semaine. Ça devient lourd à supporter pour certains conjoints dont la patience et la fidélité ne sont pas les qualités premières. D'autres partenaires décident de faire chambre à part, isolant le malade. Peur de la contagion, parfois; peur d'être confronté trop directement à la maladie; dédain de l'amputation de l'autre, sentiment tamisé mais qui transpire; peur de réaliser sa propre faiblesse à travers les rouages du corps humain d'un proche qui a flanché; mille peurs inavouées qui font basculer les couples.

Les enfants des cancéreux se mettent à craindre les retombées héréditaires (même si on affirme toujours que le cancer ne tisse pas sa toile de père en fils), et les plus jeunes peuvent verser dans l'angoisse pure. La perte du père ou de la mère représenterait pour eux un drame énorme, et une maladie prolongée peut les pousser à penser à cette éventualité qui les perturbe au plus haut point.

Le père ou la mère malade se voit forcé de jouer les psychologues et, dans certains cas, doit même recourir à l'aide de médecins spécialisés ou de groupes de thérapie organisés à l'intention des cancéreux et de leur famille.

Sur le plan du travail, on hésite (quand on ne l'évite pas) à embaucher une personne ayant été traitée pour le cancer. Sa condition et son apparence physique, si les mutilations sont apparentes, jouent contre elle, s'ajoutant aux problèmes d'assurances s'il s'agit d'une industrie. Plusieurs entraves viennent piéger la personne rétablie qui souhaite redevenir productrice. C'est pourtant l'une des nécessités dominantes pour en arriver à retrouver une vie normale et une réadaptation psychologique essentielle.

Il existe un nombre incroyable de personnes qui refusent la maladie et qui, une fois malades, s'abstiennent avec entêtement d'aller consulter un médecin, de peur du diagnostic. «J'ai trop peur qu'il me dise que j'ai le cancer!» Diabétique ou cardiaque, passe toujours, mais cancéreux...

Ça avance à quoi? Si le cancer est là, il est là! Et le plus tôt on le découvrira, plus les chances de guérison seront grandes. Pris à temps, 85% des cancers sont guérissables. N'est-ce pas encourageant? Il y aurait beaucoup moins de décès si les gens n'avaient pas aussi peur, ne retardaient pas l'échéance d'une cure, difficile, soit, mais nécessaire pour s'en sortir.

Le pourcentage de ces adeptes du faux-fuyant est plus élevé chez les hommes que chez les femmes. Le sexe fort, c'est qui au juste? Y aurait-il eu un mélange de papiers d'identité dans le Paradis terrestre? Adam aurait-il arraché le titre à coups de taloches sur le nez d'Ève? Au niveau des biceps, la femme est battue, ça, je dois l'admettre. Mais serions-nous plus réalistes? Plus logiques? Plus courageuses? Je me pose des questions sérieuses.

La non-acceptation de la maladie et de ses conséquences est vraiment dommage, et la révolte n'est que temps et énergie perdus. C'est comme refuser la pluie quand les nuages crachent à n'en plus finir. Quand on n'a pas le choix, il vaut mieux se soumettre à certaines fatalités et essayer d'en tirer, malgré tout, le meilleur parti possible.

Pour certaines personnes, l'acceptation est pénible, et il y en a qui n'y arrivent jamais.

Pendant ma période d'hospitalisation, alors qu'on allait m'installer le cathéter, on me demanda d'aller parler à une femme qui avait subi une opération identique à la mienne. Son nouvel état physique, elle le refusait d'un bloc. Comme j'avais déjà réussi à régulariser mon intestin et à éliminer le sac, on pensait que je serais en mesure de lui donner un peu d'espoir. Elle avait à peu près mon âge et ne faisait visiblement rien pour s'en sortir. Sa colostomie, elle n'en voulait pas, la refusait de toutes ses forces. J'ai essayé de l'encourager, de faire reluire les côtés positifs de notre guérison, mais je sentais que je me heurtais à un mur. On ne peut malheureusement pas régler son moral et celui des autres comme on replace les aiguilles d'une montre. Quelques jours plus tard, elle retournait aux soins intermédiaires car son état s'était détérioré. Je n'ai plus entendu parler d'elle par la suite mais je souhaite de tout coeur qu'elle ait réussi à surmonter ce refus global qui nuisait on ne peut mieux à sa convalescence.

J'ai aussi eu l'occasion de lire le témoignage d'un homme ayant subi une colostomie. Si sa panique première était la petite soeur de la mienne, sa réaction générale était pourtant totalement différente. Pour lui, la stomie provoque des problèmes émotionnels uniques et a des répercussions profondes sur l'intensité de l'état affectif du malade. Je cite:

> *Dans notre société où l'on insiste dès le plus jeune âge sur le contrôle absolu des fonctions urinaires et intestinales, la privation soudaine de cette maîtrise est une expérience humiliante, peut-être même la plus grande blessure d'amour-propre que puisse subir un individu. La mutilation chirurgicale des patients est pour le moins une calamité aussi désastreuse qu'une mastectomie ou l'amputation d'un membre car l'intervention déclenche chez le malade un effroyable sens de l'irréparable affectant non seulement son apparence physique mais l'intégrité de ses fonctions. (...) Il existe des interventions dont personne ne parle, les stomies précisément. Qui oserait révéler son état? Les parents et les amis restent eux aussi muets sur le sujet. Pourquoi tant de mystère? Réserve, ignorance, timidité, fausse modestie ou crainte de peiner? Probablement un peu de tout. (...) Qui dira le nombre de patients qui préfèrent la mort plutôt que de subir une opération aussi radicale qui non seulement attaquera l'intégrité de leur corps mais modifiera sans retour leur genre de vie.*

Comme vous pouvez le constater, cet homme n'a pas accepté la colostomie de gaieté de coeur.

Personnellement, quand je pense à la mutilation, je me dis que, si j'avais eu à choisir (ce qui, évidemment, ne tient pas debout...), j'aurais probablement opté pour celle-là. Les morceaux qui me restent me semblent plus utiles que ceux que j'ai perdus. Leur rôle fonctionnel a été pris en relève par un anus artificiel qui se tire très bien d'affaire. Il y aura des problèmes inhérents à mon cas? Il y en a aussi pour les personnes dont le corps est complet.

Grâce à la Société canadienne du Cancer et aux associations spécialisées, ce cancéreux est parvenu à modifier son attitude et à accepter son état. Il fait maintenant des entrevues à la radio, à la télévision, offre le genre de témoignage dont je vous ai présenté un extrait et vous en avez sans doute entendu parler. Il s'agit de Bob Langevin, un lutteur qui a participé à 5 672 matchs et qui, suite à sa maladie, a occupé le poste de président de l'Association Iléostomie et Colostomie de Montréal. Comme il l'avoue lui-même, sa transformation, il la doit à la volonté divine, à la science médicale, pour laquelle il a le plus grand respect, à sa nature combative et à son état de santé.

À travers ce témoignage de M. Langevin, j'ai appris que, uniquement aux États-Unis et au Canada, 120 000 personnes par an subissent une stomie d'un type ou d'un autre. J'ai aussi appris que le premier cas de cancer du rectum traité par des moyens chirurgicaux remonte à 1766 et que l'opération fut exécutée par Pillore. (J'aurais aimé vous donner plus de détails sur cet homme, mais, comme il ne figure pas dans le *Petit Robert* des noms propres, je dois m'en abstenir...). Le cancer est une maladie qui a de la barbe, et, sans avoir assisté à l'intervention de ce Pillore, je suis certaine que son patient a dû en baver un coup, à cause de la façon dont on procédait à cette époque. On plaçait l'anus artificiel dans le dos (chouette pour l'entretien!). Et les sacs de plastique adhésifs n'existaient pas... Non, ce ne devait pas être très rigolo.

En 1977, les Canadiens et les Américains stomisés étaient au nombre de 1 500 000, dont 15 000 au Québec. Aujourd'hui, ce nombre est peut-être supérieur. Vous ne pensiez pas qu'il y en avait autant? Moi non plus! Comment voulez-vous que je me sente un être d'exception alors que je ne suis qu'une goutte d'eau dans un lac immense! Toutes ces personnes stomisées n'ont peut-être pas souffert de cancer, mais elles se sont battues pour survivre et c'est ça qui est important.

CHAPITRE XVII

Vous qui êtes en bonne santé, comment réagissez-vous face à un cancéreux? Et comment vous sentiriez-vous si on vous apprenait aujourd'hui que vous faites désormais partie du clan de ceux qui font dresser les cheveux sur la tête de leurs voisins? Vous n'en savez sans doute rien, car il faut être acculé au pied du mur de la fatalité pour savoir. Comme tous les autres, vous seriez envahi par un sinistre carrousel où se balanceraient l'état de choc, la terreur, la panique, la stupéfaction, la colère et l'hostilité. Une fois l'ouragan passé, vous accepteriez plus ou moins la situation, avec l'aide d'un médecin compréhensif et chaleureux (ce qu'on peut en avoir besoin en pareil moment!), et le résultat de votre lutte contre la maladie dépendrait en grande partie de cette acceptation.

Je suis cancéreuse, soit. Mais j'aurais pu être cardiaque, souffrir de dystrophie musculaire ou naître dans une région tropicale et être atteinte de la lèpre. Eh bien non! Je suis une Nord-Américaine et je souffre d'une maladie qui touche un quart de la population. Vu l'ampleur et les ravages du cancer, les recherches médicales se font intensives, ce qui permet tous les espoirs pour le futur.

Moi qui avais toujours évité d'y penser, j'ai dû admettre la mort comme une de mes vérités. Le corps humain est une machine qui s'use, se détériore, vieillit dès le jour de la naissance, ce qui fait que la maladie et la mort font partie intégrante de la vie. Je suis d'accord, il n'y a rien qui presse! C'est là quand même.

Les cancéreux gardent une épée de Damoclès au-dessus de la tête car ils resteront toujours des candidats à un autre dérèglement des cellules, dérèglement causé à 90% par des agents extérieurs comme l'environnement, la cigarette, le mode de vie, l'alimentation, etc. Et puis après? Toute personne vivante ne se promène-t-elle pas avec cette épée en permanence? Vous partez en voiture, vous prenez l'avion, vous déambulez dans la rue, vous grimpez dans une échelle, vous courez le marathon, vous vivez tout bonnement, mais qui vous dit qu'un accident, un virus, un caprice physique ne viendra pas vous faucher de façon brutale? À l'âge de cinquante-trois ans, mon beau-frère Pierre est décédé subitement, victime d'une hémorragie cérébrale. Il n'y a pas que les cancéreux qui partent.

En toute logique, je sais que, ayant été touchée par le cancer, il y a de fortes chances que je me retrouve dans un pétrin semblable un jour ou l'autre. Comme je serai toujours médicalement surveillée de près, on pourra probablement limiter les dégâts. Peut-être devrai-je envisager une phase terminale aussi. Mais vais-je gaspiller le bon temps qu'il me reste à me casser la tête en redoutant cette fin hypothétique? Qui sait ce que demain m'apportera? Comment puis-je être sûre que je ne serai pas emportée par un malaise n'ayant aucune parenté directe ou indirecte avec le cancer? Je traverserai les ponts quand je serai rendue devant, et pas avant. Point à la ligne!

Selon les recherches faites sur le sujet, les cancéreux qui ont vaincu la maladie deviendraient plus humains, plus sereins. Après qu'on a frôlé la mort, les troubles de la vie quotidienne perdraient de leur importance en comparaison avec la santé, ce qui expliquerait le regain d'optimisme de ces gens. On dit qu'ils seraient plus tolérants, plus reconnaissants, plus détendus, vivant chaque jour le plus intensément possible.

Le résultat de ces recherches n'est-il pas encourageant? C'est à croire que le cancer, une fois maté, fait place à une période de bénédiction. Toutefois, chacun a une attitude différente devant les difficultés, et la capacité de faire face à la maladie dépend de la façon dont on a affronté les difficultés rencontrées dans le passé. J'avais sans doute mangé assez de «claques» pour pouvoir absorber celle-là sans être mise K.-O. Rien ne se perd!

Je mords dans la vie à pleines dents, mon échelle des valeurs n'est plus la même et je cueille partout des parcelles de bonheur. Dans les grandes joies qui m'arrivent comme un cadeau du ciel autant que dans les petites choses quotidiennes qui passent inaperçues la plupart du temps. Pour en avoir été privée pendant certaines périodes, un simple bain chaud, parfumé et mousseux me comble d'aise. Le soleil fait la roue? Je m'enivre de ses rayons en remerciant Celui qui fait fonctionner ce projecteur de luxe. Les nuages crachent leur trop-plein? Je me rince l'oeil aux brins d'herbe et aux fleurs qui s'abreuvent, sachant très bien que tous les orages finissent par passer.

Les problèmes familiaux qui me lacéraient le coeur? Certains se sont estompés; d'autres s'entêtent dans le statu quo, accompagnant les nouveaux qui ont vu le jour. Et puis après? Je continue à faire mon possible avec les moyens dont je dispose. Je suis prête à aider tout mon monde en les incitant à mettre le cap sur une existence heureuse, mais je ne suis à la barre de la vie de personne. Quand on le veut, quand on se donne la peine d'analyser les choses, mêmes les pires pépins finissent par faire germer quelque chose de valable et de positif. Je me sens intérieurement sereine, en accord avec moi-même, confiante en la vie, qui m'apportera encore des bonheurs inestimables et des taloches derrière la tête. Devenue optimiste à temps plein, je ne m'en fais pas pour demain.

Après avoir vaincu le cancer, cette maladie qui me pétrifiait de panique (au même titre que si je découvrais un boa dans ma salle de bains), je réalise que j'ai profondément changé. Moi qui ai toujours attendu que quelqu'un m'ouvre les portes, voilà que je fonce audacieusement. Finis les complexes! Et puis j'ai banni de ma vie toute cette kyrielle de compromis, de concessions aussi ridicules qu'inutiles. Je courbais souvent l'échine parce que je pensais qu'il me fallait le faire, mais, sauf les courbatures au coeur, ça ne menait strictement à rien. Je vais droit au but, en évitant, autant que faire se peut, d'écraser les orteils de mes voisins, ce qui n'est pas toujours possible. Il m'arrive d'entendre, à l'occasion, des lamentations plus ou moins mitigées, mais je sais que je suis sur la bonne voie. Et puis, vis-à-vis des gens que j'aime, une tendresse débordante a fleuri, tendresse qui existait déjà mais qui se coiffait du chapeau de l'acquis, de l'habitude. Je suis devenue plus ouverte, plus réceptive, plus accessible, bien dans ma peau, bref, heureuse.

La Société canadienne du Cancer et, depuis peu, la Fondation québécoise du Cancer sont des organismes qui, par leur programme d'éducation, aident les gens qui en ont besoin à comprendre les problèmes émotifs que rencontrent les cancéreux et leur famille. Sans avoir eu besoin de recourir à leurs services, je sais qu'ils sont d'une importance capitale. On apprend aux malades et à leur entourage à faire face à la situation avec foi, espoir et franchise. Quand on a assimilé ces trois choses, tout est possible. Ce programme d'information n'est qu'une facette de l'activité de ces sociétés à but non lucratif, qui veulent aussi promouvoir les nouvelles formes de traitement, favoriser l'éducation professionnelle et recueillir les fonds nécessaires à la poursuite des recherches essentielles.

Voici un extrait de la circulaire de promotion émise à l'occasion du lancement de la Fondation québécoise du Cancer:

> *La lutte contre le cancer devient de plus en plus un défi à relever, une bataille à gagner, que ce soit à titre collectif ou à titre individuel. Les efforts s'unissent, se complètent, se multiplient, afin de cerner le problème. Les hommes réagissent et nous connaissons de magnifiques exemples de courage de la part d'êtres qui ne veulent pas se laisser vaincre.*

J'ai énormément de reconnaissance et de respect pour l'équipe médicale qui m'a remise sur pied, ainsi que pour le Grand Maître là-haut qui a permis que tout ça soit possible. Aux docteurs Caussignac, Daloze et Band, aux infirmiers et infirmières, merci d'avoir été là et merci d'y être encore. Votre compétence et votre dévouement chaleureux n'ont pas de prix.

Je souhaite de tout cœur que, après avoir lu ce témoignage de mon expérience personnelle, les gens se sentent plus confiants face à leurs complexes (je suis venue à bout de maîtriser les miens...) et surtout face à la maladie.

Si leur santé est déficiente, qu'ils aillent consulter sans tarder. Il ne faut pas attendre qu'il soit trop tard.

Je sais maintenant que, à travers les épines de l'angoisse et de la souffrance, se cachent souvent les roses d'un monde meilleur. Grâce à ma santé retrouvée et à tous ceux qui m'ont soutenue et qui continuent à le faire, je suis en mesure d'affirmer, du plus profond de mon être, que le cancer, non, ce n'est pas toujours la fin du monde.

TÉMOIGNAGE DE SOLANGE HARVEY

La première fois que j'ai pris contact avec Élizabeth, je me souviens très bien d'avoir admiré ce merveilleux optimisme émanant de sa personne. Comme une décharge électrique, j'ai senti à travers son regard et sa poignée de main la détermination qui lui est propre. C'est ce que j'appelle des vibrations positives.

Elle a travaillé pour moi pendant une période d'un an et nos rencontres hebdomadaires m'apportaient beaucoup de joie. Il passait toujours une bouffée de tendresse et d'amour dans nos placotages de femmes et de mères. Elle m'exprimait ce qu'elle ressentait avec ses enfants, son travail, et j'en faisais autant. Et nos contacts devenaient de plus en plus enrichissants. Côtoyer une personne comme Élizabeth était un baume pour moi. Nos conversations s'élargissaient sur toutes sortes de sujets intéressants. Cette lutteuse de nature ne prononçait jamais une phrase négative et je crois que c'est cette attitude qui, plus tard, la sauva. Aucune place pour la médisance ou la calomnie. Au contraire, nos rencontres brèves mais intenses avaient (et ont encore) la couleur, la translucidité, la beauté du miel. C'était bon de partager ensemble.

Elle est devenue pour moi une de celles dont je peux dire: «Ça, c'est vraiment une amie!» Comprenant mon besoin de me raconter parfois, elle savait très bien m'écouter. Nos joies, nos peines s'entrelaçaient dans un partage d'expériences enrichissantes.

Lorsqu'elle me confia sa crainte due à des malaises persistants, j'essayai de l'encourager en lui rappelant le travail énorme qu'elle abattait dans une semaine, ainsi que la préménopause, enfin les malaises courants que toute femme doit un jour ou l'autre affronter. Après qu'elle m'eut fait part de sa lecture d'un article concernant le cancer, je lui conseillai amicalement d'aller consulter un médecin, lequel saurait la rassurer puisqu'elle s'était déjà identifiée à ce malaise. De semaine en semaine, je la sentais inquiète, mon amie. Son visage exprimait la fatigue, et, même si ces changements étaient assez marqués, il ne m'est jamais venu à l'esprit que le cancer insidieusement s'installait dans ce corps vigoureux, dans cette femme au visage rieur et aux yeux doux et tendres.

Quand j'avais encore pignon sur rue boulevard Saint-Joseph, là où je donnais des cours de relations humaines, elle me téléphona de l'hôpital. J'entends encore sa voix joviale me déclarer qu'elle sentait le besoin de partager avec ses deux meilleures amies, Ginette Reno et moi, le fait qu'elle allait être opérée pour un cancer de l'intestin. J'étais incapable de proférer un son, mon coeur battait plus vite, et ce qui me frappait le plus, c'était son optimisme face à cette épreuve. Elle déclarait qu'elle acceptait le tout avec confiance, qu'elle ne se laisserait pas avoir par le découragement ou quoi que ce soit et qu'elle serait vite sur pied car tout son monde avait besoin d'elle.

Et comme c'était vrai! Car moi-même je ressentais un vide. J'ai réellement fait un effort pour soutenir le même ton, l'encourager, l'assurer de mes pensées et de mes prières.

Ce soir-là, ainsi que bien d'autres soirs par la suite, je me suis servie de cet exemple pour démontrer aux personnes qui assistaient à mes sessions sur la connaissance de soi l'importance de la pensée positive. Chaque soir au cours de sa période critique, vingt-cinq personnes s'unissaient à moi pendant une minute de silence pour lui transmettre des pensées de santé, de force et de courage.

Quelques jours après son opération, j'ai demandé des nouvelles à son époux, Jean, et je fus surprise d'entendre Élizabeth me dire elle-même quelques mots. Elle voulait me parler, et sa première phrase fut: «Je t'assure, Solange, que l'été prochain je jouerai encore à la balle molle.» Et j'allai comme ça de surprise en surprise pendant des mois, constatant de plus en plus sa détermination à vouloir guérir très vite.

Un peu plus tard, elle a suivi beaucoup de traitements de chimiothérapie; pendant des semaines, elle a supporté un appareil greffé à ses artères, et, à travers tout ça, elle me faisait part de ses expériences avec humour, avec une grande confiance et une détermination qui m'a vraiment frappée.

Élizabeth est à mes yeux une grande dame, un exemple de courage et de force, ne laissant aucune prise au négativisme; une femme qui, à travers son expérience, a développé une foi inébranlable en la Vie. Je suis heureuse de collaborer à son témoignage, puisque son désir le plus profond est d'aider les gens qui pourraient être aux prises avec cette maladie. Par son attitude, elle m'a apporté énormément, me fournissant une preuve de plus que l'on est ce que l'on pense.

Merci d'être ce que tu es, Élizabeth. Je remercie le Grand Maître de t'avoir placée sur mon chemin.

Merci d'être mon amie.

Solange Harvey

Achevé d'imprimer
en janvier mil neuf cent quatre-vingt-deux
sur les presses de l'Imprimerie Gagné Ltée
Louiseville - Montréal.
Imprimé au Canada